O Jesus que as mulheres viram

O Jesus que as mulheres viram

*Como as primeiras discípulas nos ajudam
a conhecer e amar o Senhor*

REBECCA McLAUGHLIN

Traduzido por Claudia Santana Martins

Copyright © 2022 por Rebecca McLaughlin
Publicado originalmente por 10Publishing, divisão da
10ofThose Limited, Leyland, Inglaterra.

Os textos bíblicos foram extraídos da *Nova Versão
Transformadora* (NVT), da Tyndale House Foundation,
salvo as seguintes indicações: *Almeida Revista e
Atualizada*, 2ª edição (RA), da Sociedade Bíblica do
Brasil; e *Nova Versão Internacional* (NVI), da Biblica, Inc.

Todos os direitos reservados e protegidos pela Lei
9.610, de 19/02/1998.

É expressamente proibida a reprodução total ou
parcial deste livro, por quaisquer meios (eletrônicos,
mecânicos, fotográficos, gravação e outros), sem prévia
autorização, por escrito, da editora.

CIP-Brasil. Catalogação na publicação
Sindicato Nacional dos Editores de Livros, RJ

M145j

McLaughlin, Rebecca
     O Jesus que as mulheres viram : como as primeiras
discípulas nos ajudam a conhecer e amar o Senhor / Rebecca
McLaughlin ; tradução Claudia Santana Martins. - 1. ed. - São
Paulo : Mundo Cristão, 2023.
     176 p.

Tradução de: Jesus through the eyes of woman
ISBN 978-65-5988-208-3

     1. Jesus Cristo. 2. Mulheres na Bíblia. I. Martins,
Claudia Santana. II. Título.

23-82977

CDD: 220.92082
CDU: 27-31:305-055.2

Gabriela Faray Ferreira Lopes - Bibliotecária - CRB-7/6643

Edição
Daniel Faria

Revisão
Natália Custódio

Produção
Felipe Marques

*Diagramação e
adaptação de capa*
Marina Timm

Colaboração
Ana Luiza Ferreira

Publicado no Brasil com todos
os direitos reservados por:

Editora Mundo Cristão
Rua Antônio Carlos Tacconi, 69
São Paulo, SP, Brasil
CEP 04810-020
Telefone: (11) 2127-4147
www.mundocristao.com.br

Categoria: Inspiração
1ª edição: agosto de 2023 | 4ª reimpressão: 2025

Para Grace,
que em breve verá Jesus

Sumário

Introdução	9
1. Profecia	25
2. Discipulado	51
3. Nutrição	75
4. Cura	99
5. Perdão	121
6. Vida	143
Conclusão: Os Evangelhos das Marias	167
Agradecimentos	173

Introdução

Em 1896, em um mercado de antiguidades no Cairo, um comerciante de manuscritos vendeu um papiro antigo. O comprador foi um acadêmico alemão chamado Carl Reinhardt. O comerciante disse a Reinhardt que um camponês havia encontrado o livro no nicho de uma parede. Mas não é provável que essa história romântica seja verdadeira. O papiro data do século 5 e estava tão bem preservado que não poderia ter passado 1.500 anos ao ar livre. Quando Reinhardt examinou o manuscrito, descobriu que ele continha quatro textos antigos previamente desconhecidos, inclusive uma cópia parcial de um livro que veio a ser conhecido como o Evangelho de Maria.

Dois outros fragmentos do Evangelho de Maria foram encontrados desde então, e os especialistas acreditam que foi originalmente escrito no século 2. Estavam faltando partes importantes do texto em cada uma das cópias. Mas o que restou relata um encontro entre Jesus e seus discípulos após a ressurreição. Uma discípula, Maria, havia recebido uma revelação especial de Jesus. No entanto, quando Maria compartilha o que Jesus lhe revelara, Pedro a acusa de estar mentindo. Ele não acredita que Jesus teria feito tal revelação para uma mulher. Maria chora diante dessa acusação.

A experiência de Maria encontra eco em inúmeras mulheres que, durante os últimos dois mil anos, vêm sendo ignoradas e desvalorizadas por seus irmãos em Cristo. Na verdade, há quem veja o cristianismo como misógino em seu âmago: silenciando, marginalizando e pisoteando as mulheres. Na escola de ensino médio só para meninas que frequentei e depois na Universidade de Cambridge, tive muitas conversas com mulheres e homens que achavam que os direitos das mulheres são contrários ao cristianismo — ou, pelo menos, a qualquer forma de cristianismo que se apegue à Bíblia como fonte de verdade. Moro agora em Cambridge, Massachusetts. Mas a percepção do cristianismo entre muitos de meus colegas continua a mesma: a crisálida do cristianismo precisa se romper para que a borboleta dos direitos das mulheres possa voar.

Para alguns acadêmicos, o Evangelho de Maria e outros evangelhos chamados gnósticos oferecem ao cristianismo um bote salva-vidas com relação às mulheres. Alguns chegam a sugerir que os primeiros líderes da igreja suprimiram uma versão do cristianismo mais voltada às mulheres que textos como o Evangelho de Maria preservam. No entanto, neste livro pretendo argumentar que, longe de suprimir a voz das mulheres e desvalorizar sua vida, os Evangelhos do primeiro século escritos por Mateus, Marcos, Lucas e João nos conectam ao testemunho das mulheres que conheceram Jesus pessoalmente dois mil anos atrás, e que o Jesus que vemos pelos olhos delas é mais belo, mais historicamente correto e mais valorizador das mulheres do que qualquer coisa que o Evangelho de Maria possa oferecer.

O efeito de Jesus sobre as mulheres

Os quatro Evangelhos do Novo Testamento contam várias histórias de Jesus relacionadas a mulheres. Mulheres pobres.

INTRODUÇÃO

Mulheres ricas. Mulheres enfermas. Mulheres enlutadas. Mulheres idosas. Mulheres jovens. Mulheres judias. Mulheres gentias. Mulheres conhecidas por serem pecadoras. Mulheres conhecidas por sua virtude. Virgens e viúvas. Prostitutas e profetisas. Pelos seus olhos, vemos um homem que valorizava mulheres de todos os tipos — especialmente aquelas difamadas pelos outros. Com efeito, o modo como Jesus tratava as mulheres despedaçou a crença de que as mulheres são naturalmente inferiores aos homens: uma crença que foi dominante no mundo antigo. Não devemos nos surpreender, portanto, que as mulheres tenham se agregado em torno de Jesus desde então.

Nos primeiros séculos, o cristianismo era conhecido por sua capacidade de atrair mulheres e escravos. O governador romano Plínio, o Jovem, escreveu ao imperador Trajano no início do século 2, pedindo conselhos sobre como lidar com os cristãos. Para aprender mais sobre aquela estranha nova fé que infectava sua região, Plínio havia torturado "duas escravas, que eram chamadas de diaconisas". Essa biópsia da igreja era representativa de seus membros. Embora mulheres e escravos fossem destituídos de posses na cultura greco-romana, podiam alcançar importantes posições na liderança da igreja, como essas duas escravas que eram reconhecidas como diaconisas. Quando Celso, filósofo grego do final do século 2, gracejou dizendo que os cristãos "querem e conseguem convencer tão somente os tolos, ignóbeis e estúpidos, apenas escravos, mulheres e crianças pequenas", ele estava fazendo uma caricatura, mas que se baseava na verdade.[1] Aliás, desde

---

[1] Ver Michael J. Kruger, *Christianity at the Crossroads: How the Second Century Shaped the Future of the Church* (Downers Grove, IL: IVP Academic, 2018), p. 34-35.

as primeiras evidências que encontramos sobre a composição da igreja até os dados atuais, parece que Jesus sempre foi mais atraente para as mulheres do que para os homens.

Registros de uma igreja do Norte da África que sofreu um ataque durante a Grande Perseguição — que durou do ano de 303 a 313 — documentam a apreensão de uma quantidade desproporcional de roupas femininas: 13 pares de sapatos masculinos contra 47 pares de sapatos femininos; 16 túnicas masculinas contra 82 femininas; e 38 acessórios de cabeça femininos.[2] Provavelmente essas roupas se destinavam aos pobres. Entretanto, mesmo entre os cristãos abastados, as mulheres pareciam exceder os homens em número. No período antes da conversão do imperador romano Constantino em 337, dispomos dos nomes de quarenta cristãos da classe senatorial. Dois terços deles eram mulheres.[3] Sendo assim, por que as mulheres eram atraídas para o cristianismo?

Em *The Triumph of Christianity: How a Forbidden Religion Swept the World* [O triunfo do cristianismo: Como uma religião proibida varreu o mundo], o estudioso do Novo Testamento e cético Bart Ehrman explica que, embora o Império Romano fosse extremamente diversificado, seus habitantes compartilhavam de alguns pressupostos básicos. Escreve Ehrman:

> Se uma palavra pudesse resumir a ética social, política e pessoal comum da época, seria dominação. [...] Em uma cultura

---

[2] Ver Helen Rhee, *Loving the Poor, Saving the Rich: Wealth, Poverty, and Early Christian Formation* (Grand Rapids, MI: Baker Academic, 2012), p. 154.

[3] Ver Peter Lampe, *From Paul to Valentinus: Christians at Rome in the First Two Centuries* (Minneapolis: Fortress Press, 2003), p. 119.

de dominação, espera-se que aqueles com poder afirmem sua vontade sobre os fracos. Os governantes devem dominar seus súditos, os patronos seus clientes, os senhores seus escravos, os homens suas mulheres.[4]

Mas o cristianismo virou de cabeça para baixo essa crença. Nas palavras de Ehrman:

> Os líderes da igreja cristã pregavam e encorajavam uma ética de amor e serviço. Ninguém era mais importante do que o outro. Todos estavam no mesmo patamar diante de Deus: o senhor não era mais importante do que o escravo, o patrono não era mais importante do que o cliente, o marido não era mais importante do que a esposa, os poderosos não eram mais importantes do que os fracos, nem os saudáveis mais importantes do que os doentes.[5]

Essa inversão ética, baseada nas palavras e ações de Jesus, tornou o cristianismo especialmente atraente para as mulheres no mundo antigo e formou a base de nossa crença moderna de que as mulheres são fundamentalmente iguais aos homens. Longe de ser contrário aos direitos das mulheres, o cristianismo é sua primeira e melhor fundação.

Nos últimos dois milênios, o cristianismo passou de uma fé professada por uma pequena minoria para o sistema de crenças mais disseminado e mais racialmente e culturalmente diverso no mundo. E o efeito magnético de Jesus sobre as mulheres não diminuiu. Uma pesquisa de 2015 revelou que, em todo o mundo, 33,7% das mulheres adultas se identificam

---

[4] Bart Ehrman, *The Triumph of Christianity: How a Forbidden Religion Swept the World* (Nova York: Simon & Schuster, 2018), p. 5.
[5] Ibid., p. 5-6.

como cristãs, contra 29,9% de homens, e a desproporção provavelmente está crescendo. A igreja na China é um dos movimentos cristãos que mais rapidamente crescem no mundo — a caminho de ter mais cristãos do que nos Estados Unidos dentro de cinco anos — e é desproporcionalmente feminina. Além disso, em nível global as mulheres cristãs se mostram significativamente mais propensas do que os homens a frequentar a igreja semanalmente[6] e orar diariamente.[7] Elas também tendem mais a ler a Bíblia por si mesmas — mesmo que isso exija um esforço significativo.[8] Poucos anos atrás, uma amiga chinesa me contou que, depois que sua avó analfabeta se tornou cristã, começou a parar as pessoas diante de seu prédio e a implorar-lhes que a ajudassem a ler mesmo que apenas uns poucos versículos de sua Bíblia. Mas será que essa adoção do cristianismo está fazendo bem às mulheres? Ou será que Jesus é como um daqueles namorados terríveis que

[6] Uma análise de 54 países revelou que 53% das mulheres que se identificavam como cristãs diziam que frequentavam a igreja pelo menos uma vez por semana, contra 46% dos homens cristãos. Ver "The Gender Gap in Religion Around the World", Pew Research Center, 22 de março de 2016, <https://www.pewforum.org/2016/03/22/women-more-likely-than-men-to-affiliate-with-a-religion/>.

[7] Nos 54 países analisados, 61% das mulheres cristãs declaram orar diariamente, comparadas a 51% dos homens cristãos. Ver "The Gender Gap in Religion Around the World", <https://www.pewforum.org/2016/03/22/women-report-praying-daily-at-higher-rates-than-men/>.

[8] A pesquisa de 2020 do State of the Bible [Estado da Bíblia], encomendada pela Sociedade Bíblica Americana, revelou que "as mulheres se ocupam mais com as Escrituras do que os homens". Relata-se que mais da metade das mulheres americanas (52%) são "amigas da Bíblia", "empenhadas em ler a Bíblia" ou "focadas na Bíblia", em comparação com 47% dos homens.

INTRODUÇÃO

as mulheres parecem não conseguir abandonar, apesar do mal que lhes causam?

Longe de ser ruim para as mulheres, ser religiosamente ativas (o que, na maior parte do Ocidente, inclui frequentar regularmente a igreja) parece lhes trazer mais felicidade e saúde mental. Por exemplo, um estudo em grande escala publicado por acadêmicos da Escola de Saúde Pública de Harvard em 2016 revelou que as mulheres americanas que frequentavam cultos religiosos pelo menos uma vez por semana apresentavam uma probabilidade cinco vezes menor de se suicidar do que aquelas que nunca frequentavam.[9] De forma semelhante, um estudo publicado em 2020 revelou que as mulheres americanas que frequentavam cultos religiosos semanalmente apresentavam uma probabilidade 68% menor de morrer devido a suicídio ou excesso de drogas ou álcool do que aquelas que nunca frequentavam, enquanto os homens que frequentavam semanalmente apresentavam uma probabilidade 33% menor de morrer devido a essas causas.[10] Notavelmente, mais do que um terço dos adultos religiosamente ativos (36%) se descreve como "muito feliz", em comparação com apenas um quarto (25%) tanto de adultos religiosamente inativos (ou seja, aqueles que se identificam como cristãos, mas não frequentam a

---

[9] Tyler J. VanderWeele et al., "Association Between Religious Service Attendance and Lower Suicide Rates Among US Women," *JAMA Psychiatry* 73, nº. 8 (2016), <https://jamanetwork.com/journals/jama psychiatry/article-abstract/2529152>.

[10] Ying Chen et al., "Religious Service Attendance and Deaths Related to Drugs, Alcohol, and Suicide Among US Health Care Professionals", *JAMA Psychiatry* 77, nº. 7 (2020), <https://jamanet work.com/journals/jamapsychiatry/article-abstract/2765488?mc_cid =469f806293&mc_eid=796e84b78>.

O JESUS QUE AS MULHERES VIRAM

igreja) quanto daqueles que não se filiam a religiões nos Estados Unidos.[11]

Mais ainda: embora a limitação bíblica do sexo ao casamento por toda a vida tenha muitas vezes sido acusada de ser uma camisa de força prejudicial — recusando às mulheres (e aos homens) a liberdade sexual que se considera ser o caminho para a felicidade —, os dados indicam o oposto. Um corpo crescente de evidências têm mostrado que, especialmente para as mulheres, ter múltiplos parceiros sexuais está associado a níveis mais baixos de saúde mental e felicidade.[12] Inversamente, longe de estarem confinadas ao sofrimento, as esposas mais felizes nos Estados Unidos são mulheres extremamente religiosas casadas com homens extremamente religiosos.[13] Os casais que oram juntos, leem as Escrituras em casa, frequentam

---

[11] Ver "Religion's Relationship to Happiness, Civic Engagement and Health Around the World", Pew Research Center, 31 de janeiro de 2019, <https://www.pewforum.org/2019/01/31/religions-relationship-to-happiness-civic-engagement-and-health-around-the-world/>.

[12] Ver, por exemplo, Tyree Oredein e Cristine Delnevo, "The Relationship between Multiple Sexual Partners and Mental Health in Adolescent Females", *Journal of Community Medicine & Health Education* 3, nº. 7 (dezembro de 2013), que revelou que "a prevalência de tristeza, ideação suicida, planos suicidas e tentativas de suicídio aumenta com o número de parceiros sexuais ao longo de todos os grupos raciais/étnicos"; e Sandhya Ramrakha et al., "The Relationship between Multiple Sex Partners and Anxiety, Depression, and Substance Dependence Disorders: A Cohort Study", *Archives of Sexual Behavior* 42, nº. 5 (fevereiro de 2013), <https://www.ncbi.nlm.nih.gov/pmc/articles/PMC3752789>, que encontrou "uma forte associação entre o número de parceiros sexuais e problemas posteriores com drogas, especialmente em mulheres".

[13] Ver W. Bradford Wilcox, Jason S. Carroll e Laurie DeRose, "Religious Men Can Be Devoted Dads, Too", *New York Times*, 18 de maio de 2019,

INTRODUÇÃO

a igreja e assim por diante apresentam uma tendência duas vezes maior do que seus colegas seculares de dizer que estão satisfeitos com seu relacionamento sexual.[14] Podemos pensar que o casamento cristão retira das mulheres sua liberdade sexual. Mas os dados sugerem que ele afasta as mulheres (e os homens) do desastre do sexo sem compromisso.

Será que isso significa que o cristianismo é só para virgens e mães de quatro filhos com casamentos felizes? Não. Quando deparamos com Jesus nos Evangelhos, encontramos um homem que acolhe mulheres de má fama em termos sexuais, ao mesmo tempo que enfrenta homens hipócritas nessas mesmas questões. Encontramos um homem nascido de um escândalo sexual, que escandalizou ainda mais seus companheiros judeus ao mostrar amor a mulheres conhecidas pelo pecado sexual. Encontramos um homem que nunca teve uma relação sexual, mas que amou as mulheres de tal modo que elas deixaram tudo para segui-lo. Encontramos um homem que deu as costas aos homens religiosamente poderosos de seu tempo e cuja conversa pessoal mais longa registrada foi com uma mulher desprezada por sua religião. Ao longo deste livro, olharemos para Jesus pelos olhos dessas mulheres. Mas será que podemos ter certeza de que o que lemos sobre Jesus em suas quatro biografias no Novo Testamento é confiável e que textos como o Evangelho de Maria não nos oferecem uma visão mais autêntica?

<https://www.nytimes.com/2019/05/18/opinion/sunday/happy-mar riages.html>.

[14] Matthew Saxey e Hal Boyd, "Do 'Church Ladies' Really Have Better Sex Lives?", Institute for Family Studies, 16 de novembro de 2020, <https://ifstudies.org/blog/do-igreja-ladies-really-have-better-sex-lives>.

Podemos confiar nos Evangelhos?

Em seu livro pioneiro, *Jesus e as testemunhas oculares*, o estudioso britânico do Novo Testamento Richard Bauckham sustenta, de modo convincente, que os textos de Mateus, Marcos, Lucas e João não são produtos de gerações de tradição oral — como muitos estudiosos do século 20 supunham —, mas documentos que preservam para nós os relatos de testemunhas oculares que conheceram Jesus pessoalmente. Este livro recorrerá extensamente ao trabalho de Bauckham, inclusive seu fenomenal *Gospel Women* [Mulheres do Evangelho], e sustentará que o testemunho de mulheres, em particular, é vital para a história que os autores dos Evangelhos contam.[15]

Geralmente se admite que o Evangelho de Marcos tenha sido o primeiro a ser escrito, provavelmente entre 35 e 45 anos após os acontecimentos que registra. Bauckham observa que essa data está "bem dentro da duração da vida de muitas das testemunhas oculares" e defende que Mateus, Lucas e João "foram escritos no período em que testemunhas oculares vivas estavam se tornando escassas, exatamente naquele momento em que seu testemunho pereceria com elas se não fosse registrado".[16] Comparando a forma como os nomes são usados nos Evangelhos com o modo como as testemunhas oculares são citadas em outros textos do mesmo período, Bauckham

---

[15] Richard Bauckham, *Jesus and the Eyewitnesses: The Gospels as Eyewitness Testimony* (Grand Rapids, MI: Wm. B. Eerdmans, 2006) [No Brasil, *Jesus e as testemunhas oculares*. São Paulo: Paulus, 2011]; Bauckham, *Gospel Women: Studies of the Named Women in the Gospels* (Grand Rapids, MI: Wm. B. Eerdmans, 2002). Uma segunda edição de *Jesus and the Eyewitnesses* foi publicada em 2017, mas minhas citações vêm da primeira edição.

[16] Bauckham, *Jesus and the Eyewitnesses*, p. 7.

argumenta convincentemente que os autores dos Evangelhos estão indicando a seus leitores as fontes das histórias que relatam. Mas será que as testemunhas oculares de fato se lembrariam daqueles acontecimentos tanto tempo depois que haviam ocorrido?

Não sou velha o bastante para me lembrar de fatos que ocorreram entre 35 e 45 anos atrás — quanto mais sessenta anos, que provavelmente é o intervalo entre o tempo que o autor de João conviveu com Jesus e quando escreveu seu Evangelho. Se você tem menos de cinquenta anos, esses intervalos de tempo provavelmente lhe parecem impossivelmente longos. Esquecemos a maior parte do que nos aconteceu na semana passada! Entretanto meus pais, que estão na casa dos sessenta anos, e meus avós, que estão na casa dos oitenta, lembram-se facilmente dos acontecimentos e das conversas mais importantes de sua adolescência e juventude — especialmente aqueles que foram contados e recontados aos filhos, netos e bisnetos. Meu avô, por exemplo, se lembra do dia em que minha mãe, quando criança, insistiu em querer ir para a escola sozinha. Meu avô a deixou ir, mas a seguiu a distância. Acabou descobrindo que ela havia planejado se encontrar com um garoto que estivera intimidando sua irmã menor para brigar com ele! Isso aconteceu quase sessenta anos atrás e, embora não tenha sido um acontecimento que mudou a vida de ninguém, ficou registrado na memória de meu avô, e ele contou a história como algo divertido durante décadas. Os discípulos de Jesus se dedicavam a prestar atenção no que ele fazia e aprender o que ensinava. Esse era um trabalho em tempo integral, não apenas dos doze apóstolos escolhidos por Jesus, mas também de dezenas de pessoas (inclusive muitas mulheres) que viajavam com Jesus. Após a morte e ressurreição de

Jesus, eles iam de lugar em lugar proclamando o que haviam escutado e visto. Quando os autores dos Evangelhos finalmente escreveram os relatos da vida de Jesus, eles tinham uma riqueza de testemunhos em que se basear — e o testemunho das discípulas de Jesus era igualmente importante.

E quanto aos outros supostos evangelhos, como o Evangelho de Maria? Enquanto os quatro Evangelhos do Novo Testamento foram todos escritos durante o período de vida de testemunhas oculares da vida de Jesus, acredita-se que o Evangelho de Maria tenha sido escrito entre o início e meados do século 2 — bem depois que as testemunhas oculares haviam morrido.[17] Em vez de estar enraizado no Antigo Testamento, o Evangelho de Maria, como outros chamados evangelhos gnósticos, baseia-se muito mais na filosofia grega do que nas Escrituras hebraicas e pressupõe uma visão de mundo diferente, em que a matéria é má e a salvação envolve escapar ao que é físico. Isso é fundamentalmente diferente da crença judaico-cristã na bondade da criação original de Deus, e da promessa cristã de uma vida encarnada, de ressurreição, para todos os que creem em Jesus. Diferentemente dos Evangelhos em nossas Bíblias, o Evangelho de Maria não nos fornece um relato da vida terrena de Jesus. É totalmente centrado em supostas conversas após a ressurreição de Jesus. Se tivéssemos esse texto e não os textos dos Evangelhos em nossas Bíblias, não saberíamos quase nada sobre a vida, morte e ressurreição de Jesus de Nazaré, e teríamos registrada somente uma minúscula proporção de seus ensinamentos — ensinamentos que mudaram o mundo.

---

[17] Ver Karen L. King, *The Gospel of Mary of Magdala: Jesus and the First Woman Apostle* (Santa Rosa, CA: Polebridge Press, 2003), p. 3.

INTRODUÇÃO

Podemos pensar que o Evangelho de Maria foi suprimido porque transmite uma imagem ruim de Pedro. Pedro, afinal de contas, foi um dos principais líderes na igreja dos primeiros tempos. Mas, em vez de eliminar os erros dos discípulos masculinos de Jesus, os Evangelhos em nossas Bíblias — inclusive o Evangelho de Marcos, que se considera ser baseado no testemunho de Pedro — frequentemente retratam os apóstolos (e Pedro em particular) sob uma luz terrível. Por exemplo, todos os quatro Evangelhos registram que, na noite em que Jesus foi preso, Pedro negou três vezes até mesmo conhecer Jesus.

Em contraste, as mulheres entre os discípulos de Jesus são conhecidas por sua fidelidade, e todos os autores dos Evangelhos se baseiam no testemunho de mulheres em pontos vitais de seus relatos. Na verdade, se percorrermos os Evangelhos em nossas Bíblias e cortarmos todas as cenas *não* testemunhadas por mulheres, perderíamos apenas uma parcela pequena dos textos. Se cortarmos as cenas que *apenas* as mulheres testemunharam, perderíamos nosso primeiro vislumbre de Jesus quando ele assumiu a carne humana e nosso primeiro vislumbre de seu corpo ressuscitado. Os quatro Evangelhos preservam o depoimento das testemunhas oculares mulheres. A pergunta central deste livro é: "Como era Jesus visto pelos olhos delas?".

As mulheres neste livro

Quando meu filho de três anos, Lucas, faz algo de que se orgulha, ele me pergunta: "Mamãe, consegue captar um vislumbre de mim?". Essa frase é ao mesmo tempo infantilmente esquisita e profunda. Mesmo sendo a mãe dele, tudo o que posso captar dele de fato são vislumbres. O pai, as irmãs, os professores e amigos, todos o veem de ângulos diferentes, e, como instantâneos fotográficos usados para criar uma imagem 3D, podemos compilar essas visões para obter uma noção melhor do que ele é. Ainda assim, só conseguimos captar um vislumbre dele. No caso de Jesus, essa realidade é multiplicada. Não podemos esperar capturá-lo. Mas, de acordo com os Evangelhos, ele veio para nos capturar: não para nos privar de nossos direitos e nos prender, mas para nos devolver a nossa justa morada com ele.

Desde os primeiros momentos de sua vida na terra, Jesus foi observado pelas mulheres. Neste livro, examinaremos as histórias dessas mulheres e veremos como Jesus era visto pelos olhos delas.

O capítulo 1 focalizará Jesus sob as lentes da profecia, centrando-se no testemunho da mãe de Jesus, Maria; sua prima mais velha, Isabel; e a profetisa chamada Ana, que fez uma profecia sobre Jesus quando ele foi levado ao templo quando criança. Veremos como essas mulheres receberam palavras proféticas de Deus para nos mostrar tanto quem é Jesus quanto o que ele iria fazer.

No capítulo 2, veremos que muitos dos discípulos de Jesus eram mulheres — algumas viajaram com ele, outras ficaram onde estavam. Veremos o que podemos aprender das mulheres cujo nome é mencionado entre os discípulos itinerantes de Jesus. Depois enfocaremos duas das amigas mais próximas de Jesus, Maria e Marta de Betânia.

O tema do capítulo 3 é a nutrição. Testemunharemos o primeiro milagre de Jesus no Evangelho de João, quando, a pedido da mãe, ele transformou cerca de cem litros de água no melhor vinho. Leremos a conversa privada mais longa

INTRODUÇÃO

registrada de Jesus, com a mulher samaritana junto a um poço, em que ele ofereceu a ela água viva. Veremos tanto a falha monumental quanto a redenção da mãe de dois dos apóstolos de Jesus, e analisaremos a espantosa conversa entre Jesus e uma mulher siro-fenícia que reconheceu que Jesus é a fonte do verdadeiro pão.

O capítulo 4 acompanhará uma série de curas de mulheres por Jesus: da sogra febril de Simão Pedro a uma mulher que sofreu com hemorragia por doze anos, uma menina de doze anos que Jesus ressuscitou dos mortos e uma mulher enferma que ele curou no sábado. Veremos como cada uma dessas mulheres lança uma luz sobre a identidade de Jesus.

O capítulo 5 será centrado no perdão. Veremos como Jesus acolheu uma mulher notoriamente pecadora e a apresentou como um exemplo de amor, e como ele protegeu uma mulher que havia sido apanhada em adultério e usou sua situação para expor os pecados dos líderes religiosos.

Finalmente, no capítulo 6, veremos o quanto os autores dos Evangelhos dependem dos relatos de mulheres testemunhas oculares no que se refere à ressurreição de Jesus. O Filho de Deus ressuscitado foi visto primeiro pelos olhos das mulheres, e as mulheres foram as primeiras a quem ele confiou as boas-novas.

Os Evangelhos apresentam Jesus como o verdadeiro Deus vivo — o Deus que criou o universo, o Deus que, segundo as Escrituras, os seres humanos não conseguem ver e permanecer vivos. Ter um vislumbre de Jesus é arriscar a própria vida. Mas, de acordo com Jesus, é também encontrar a vida. Mulheres que choravam com o rosto voltado para baixo viram Jesus, enquanto certos homens ficaram em pé face a face com ele e não tiveram a menor ideia de para quem estavam olhando. Não precisamos do Evangelho de Maria do século 2 para ver quem é Jesus. Precisamos dos Evangelhos de Mateus, Marcos, Lucas e João do primeiro século, que se baseiam nos relatos de mulheres testemunhas oculares desde o início.

1
Profecia

A primeira pessoa a escutar as boas-novas sobre Jesus foi uma adolescente pobre de uma aldeia. Ela foi a primeira a descobrir o nome de Jesus, a primeira a saber que ele era o Filho de Deus, a primeira a entender que seu filho seria o Rei eterno que desafiaria a morte. Essa moça possuía o nome mais comum em sua época — um nome atribuído a uma em cada cinco mulheres judias de seu tempo e lugar.[1] Ela era apenas outra Maria. Mas então um anjo lhe apareceu. E, em um instante, o mundo simples dessa garota de cidade pequena se tornou o local onde Deus entrou em cena.

Neste capítulo, falaremos sobre a mãe de Jesus, Maria, e as outras duas mulheres, Isabel e Ana, que Deus abençoou com o dom da profecia para reconhecer Jesus. Veremos como o nascimento de Jesus remonta a histórias antigas e aponta futuramente para a eternidade, e provaremos o primeiro gosto inebriante do papel que as mulheres desempenharam na vida de Jesus na terra: desde o início até o amargo final — e além.

---

[1] Os registros que sobreviveram indicam que mais de 20% das mulheres judias na região se chamavam Maria. Ver Richard Bauckham, *The Testimony of the Beloved Disciple: Narrative History and the Theology of John's Gospel* (Grand Rapids, MI: Baker Academic, 2007), p. 175.

Profecia e gravidez

Guardei durante vários anos o teste que me revelou que eu estava grávida pela primeira vez. Duas linhas cor-de-rosa anunciando que em nove meses meu bebê iria nascer. Eu não parecia nem me sentia diferente. Mas aquele pequeno pedaço de plástico proclamava a extraordinária verdade: eu era mãe. Miranda agora tem onze anos e faz muitas perguntas aleatórias. Na semana passada, ela me perguntou se eu gostaria de poder ver o futuro. Respondi: "De jeito nenhum!". O peso desse conhecimento me sufocaria como uma cobra constritora. Mas acaso gostei de saber, todos aqueles anos atrás, que ela estava crescendo em meu útero? Sim. Sem a menor dúvida.

No Antigo Testamento, a profecia funciona, de certa forma, como um teste de gravidez. Fala a verdade sobre o presente e o futuro — por mais dissonantes que ambos possam parecer. Como um teste de gravidez nas mãos de pais esperançosos, a profecia pode trazer marés de grande alegria ou notícias de perdas devastadoras, e o povo de Deus experimentou ambas. Séculos antes do nascimento de Jesus, os profetas alertaram que o julgamento divino viria se o povo não se arrependesse. O povo de Deus não escutou. Então, o reino do norte de Israel caiu diante dos assírios. A seguir, após outros alertas proféticos, o reino do sul de Judá foi conquistado pelos babilônios. Em meio a isso, os profetas prometeram que um dia Deus enviaria um Rei eterno para resgatar seu povo — um rei ainda melhor do que o maior rei de Israel, Davi. Por exemplo: quando vivia no exílio na Babilônia, Daniel teve uma visão de alguém "semelhante a um filho de homem vindo com as nuvens do céu", que recebeu do próprio Deus "autoridade, honra e soberania, para que povos de todas as raças, nações e

PROFECIA

línguas lhe obedecessem. Seu domínio é eterno; não terá fim" (Dn 7.13-14). Mas, como pais que esperam ansiosamente ano após ano por um filho e este nunca vem, o povo de Deus esperou e esperou, e nenhum Rei como o descrito nasceu.

Quando os persas assumiram o controle sobre a Babilônia, as coisas começaram a melhorar. Os judeus retornaram a sua terra e reconstruíram o templo, mas ainda estavam vivendo sob domínio estrangeiro e pagão. Os persas foram sucedidos pelos gregos, e o povo de Deus viveu sob uma sucessão de dinastias gregas locais que defendiam a disseminação da cultura e religião gregas. Os judeus acabaram sendo impedidos de praticar sua fé, e o templo em Jerusalém foi transformado em um santuário pagão. Essa foi uma fase extremamente ruim para o povo de Deus. Mas a desolação estimulou a revolta, e finalmente os judeus voltaram a se autogovernar. Em 164 a.C., o templo foi purificado e os sacrifícios diários foram retomados — um momento que os judeus celebram ainda hoje na Festa de Hanucá. Foi como um recomeço. Pela primeira vez em séculos, o povo de Deus não estava mais vivendo sob domínio pagão, e durante cem anos uma família reinou. Talvez as promessas de Deus estivessem se realizando, enfim! Mas ainda não havia um Rei eterno e, da segunda geração em diante, houve importantes disputas internas.

É interessante que o último monarca nessa dinastia a ocupar o trono com sucesso foi uma mulher: a rainha Salomé Alexandra. Seu marido, o rei Alexandre Janeu, legou-lhe o trono ao morrer, e ela governou de 75 a 67 a.C. Os anos em que a rainha Salomé Alexandra reinou foram anos de prosperidade e renovada observância religiosa. Entretanto, após sua morte, um de seus filhos usurpou o trono do irmão mais velho. A guerra civil que se seguiu só terminou em

63 a.C., quando o general romano Pompeu tomou Jerusalém e profanou o templo. O povo de Deus foi mais uma vez esmagado sob o domínio estrangeiro e pagão.

Poderia ter sido pior. Os judeus eram autorizados a venerar quem quisessem e, em 37 a.C., os romanos nomearam um rei oficial dos judeus, Herodes, o Grande, que efetuou uma grande reforma no templo. Mas Herodes não era etnicamente judeu, e era apenas um rei marionete, governando sob a autoridade romana. Qualquer tentativa de resistir ao poder imperial era esmagada como uma bituca de cigarro. Esse era o triste mundo em que uma moça judia chamada Maria nasceu.

Não sabemos muito sobre a história anterior de Maria, exceto que ela era relativamente pobre, que estava noiva de um homem chamado José e que vivia em uma aldeia remota na Galileia chamada Nazaré. Até aí, nada de interessante. Mas Maria de Nazaré foi a mulher a quem Deus enviou um anjo com a profecia de que as antigas promessas de Deus enfim se tornariam realidade.

O anjo Gabriel começou: "Alegre-se, mulher favorecida! O Senhor está com você!" (Lc 1.28). Maria sabia que não era ninguém especial, mas ali estava um anjo dizendo o contrário, então ela ficou "confusa" (Lc 1.29). Gabriel prosseguiu:

> Não tenha medo, Maria, pois você encontrou favor diante de Deus. Ficará grávida e dará à luz um filho, e o chamará Jesus. Ele será grande, e será chamado Filho do Altíssimo. O Senhor Deus lhe dará o trono de seu antepassado Davi, e ele reinará sobre Israel para sempre; seu reino jamais terá fim!
>
> Lucas 1.30-33

O profeta Isaías falara de um rei que nasceria para se sentar no trono de Davi para sempre (Is 9.6-7). Miqueias falara de um governante que nasceria na cidade natal de Davi, Belém, e traria paz a todo o mundo (Mq 5.2-5). As notícias do anjo Gabriel, transmitidas a uma adolescente de cidade pequena, foram como uma tocha flamejante acesa na escuridão, uma canção de esperança entre os lamentos de dor dos judeus. Foi um apelo às armas com uma promessa de vitória inquestionável. O tão esperado Rei de Deus estava a caminho. Seu nome seria Jesus, que significa "o Senhor salva", e seria filho de Maria.

Filho de Deus

Certamente abalada pelas palavras de Gabriel, Maria fez uma pergunta prática: "Como isso acontecerá? Eu sou virgem!" (Lc 1.34). Talvez ela tivesse pensado que seu noivo, José, seria o pai. Mas Gabriel solta outra bomba: "O Espírito Santo virá sobre você, e o poder do Altíssimo a cobrirá com sua sombra. Portanto, o bebê que vai nascer será santo, e será chamado Filho de Deus" (Lc 1.35).

Até uma concepção normal parece milagrosa. Lembro-me de olhar para as linhas do teste de gravidez e refletir sobre o inconcebível: uma nova vida humana inteirinha havia ganhado existência em meu útero. A primeira vez que senti Miranda chutar, eu não conseguia parar de pensar no fato de que ela era outra pessoa — e, ainda assim, dentro de mim. Era realmente inacreditável. Mas a experiência de Maria era muito diferente. O anjo disse que o Espírito Santo de Deus — o Espírito que se movia sobre o nada antes da criação, o Espírito que inspirara grandes reis e profetas — a cobriria com sua sombra, e então o Filho do próprio Deus cresceria, se esticaria e chutaria dentro de seu útero.

Estamos tão acostumados a afirmar que Jesus é o Filho de Deus que é difícil para nossa mente captar a estranheza dessa mensagem. Contam-se histórias de deidades gregas e romanas engravidando mulheres humanas. Mas o Deus do Antigo Testamento não se parecia em nada com esses deuses pagãos. Ele era absolutamente transcendente, o único verdadeiro criador de todas as coisas, aquele a quem os seres humanos não podiam ver e continuar vivos, o Deus que, quando lhe perguntaram seu nome, respondeu: "Eu Sou o que Sou" (Êx 3.14). É claro que os profetas de Deus haviam retratado o Rei prometido e eterno em termos sobre-humanos. Mas que ele seria literalmente o Filho de Deus teria sido algo chocante para os ouvidos dos judeus do primeiro século. Maria poderia ter sido ostracizada ou até mesmo apedrejada até a morte por engravidar fora do casamento. Dizer "não se preocupem, o pai do bebê é o próprio grande Eu Sou" acrescentaria a blasfêmia às acusações sobre ela. Apesar disso, Maria respondeu de imediato com fé obediente: "Sou serva do Senhor. Que aconteça comigo tudo que foi dito a meu respeito" (Lc 1.38).

Recebendo Jesus

Como vemos Jesus pelos olhos de Maria nesse momento? Nós o vemos como o Filho de Deus eterno, o Rei prometido, o grande "Eu Sou" feito carne. Pelos olhos de Maria, vemos também a bênção inspiradora de receber Jesus, e como ele só pode ser recebido por aqueles que sabem que não são nada mais do que servos do Senhor. É claro que não temos como nos colocar no lugar de Maria. Você e eu não fomos chamados para ser a mãe do único Filho de Deus. Ela carregou em seu útero aquele por quem todos os úteros foram criados. Ela amamentou aquele que gerou a vida na terra. Educou aquele que formou as estrelas. Mas, quando olhamos para Jesus pelos olhos de sua mãe, vemos como Deus toma pessoas comuns para serem seus agentes escolhidos neste mundo. Quando você e eu deixamos Jesus entrar, nossa vida monótona se torna o centro fervilhante de um milagre — mesmo que às vezes não pareça assim.

No último Natal, minha filha Eliza pediu um relógio que conta os passos da pessoa, como um que eu já tinha. À medida que dezembro avançava, ela ficava me lembrando de comprar o relógio. Eu já o havia comprado, mas me fazia de relutante, esperando que ela ficasse pelo menos um pouco surpresa no dia de Natal. Quando Eliza desembrulhou o presente, ficou encantada: era exatamente o que ela havia pedido! Mas, quando abriu a caixa, estava vazia. Eu havia embrulhado acidentalmente a caixa vazia do relógio que havia comprado para mim mesma alguns meses antes. Eliza pensou que eu havia feito uma brincadeira com ela. Talvez seja assim que você se sinta hoje. Você está tentando crer que Deus o ama e confiar em suas promessas, mas a vida neste instante parece uma caixa de presente desembrulhada sem nada dentro. Talvez você esteja se perguntando se Deus está ali, ou se ele realmente se importa com você, afinal. Mas, assim como deve ter parecido quase inconcebível a Maria que as promessas de Deus feitas havia séculos estivessem se realizando nela, se estamos depositando nossas esperanças em Jesus, por mais vazios que você ou eu possamos nos sentir hoje, a verdade é que estamos inimaginavelmente cheios de vida e amor.

Desde o momento da concepção de Jesus, a vida de Maria foi paradoxal: ela havia se tornado a mãe daquele por meio de quem Deus criou todas as coisas (Jo 1.3). E, se depositarmos nossa confiança em Jesus agora, nossa vida se tornará paradoxal também: nós seremos o corpo aqui neste mundo daquele que criou nosso corpo e nosso mundo. Seremos suas mãos, pés, braços e boca.

Quando olhamos pelos olhos de Maria, vemos também o custo de deixar Jesus entrar. O nascimento em si é bastante penoso. Amamentar um bebê dia e noite é um ato contínuo de amor sacrificial. Em meio à alegria de ter minha primeira filha, chorei várias vezes nos primeiros dias e semanas da vida de Miranda. Tudo doía. Eu não conseguia dormir. Ficava desesperadamente preocupada com ela, temendo que ela dormisse e nunca acordasse, ao mesmo tempo que ansiava pelas horas em que ela dormia. Eu sentia como se houvesse perdido minha vida ao ganhar a dela. Eu a amava, e ela me arruinava. Para Maria, dois milênios atrás, todos os riscos eram multiplicados — o risco de sua própria morte no parto ou de que o filho morresse quando bebê. Entretanto, Maria assumiu muito mais riscos com Jesus do que teria tido com outra criança. Ela arriscou a reputação, as perspectivas de casamento, a comunidade e até mesmo a vida quando respondeu a Gabriel: "Sou serva do Senhor. Que aconteça comigo tudo que foi dito a meu respeito" (Lc 1.38).

Pelos relatos de Lucas e Mateus, parece que Maria não contou ao noivo que estava grávida do Filho de Deus. José soube disso depois, por meio de um anjo (Mt 1.18-21). Mas, depois que Gabriel a deixou, Maria correu para falar com a única pessoa que poderia entendê-la: a prima mais velha, Isabel, que morava mais ao sul, a uma distância entre 120 e 150 quilômetros.

PROFECIA

Isabel

Isabel e o marido, Zacarias, são as duas primeiras pessoas que encontramos no Evangelho de Lucas. Zacarias era sacerdote e Isabel "pertencia à linhagem sacerdotal de Arão" — em outras palavras, era da família sacerdotal. Lucas nos conta que "Zacarias e Isabel eram justos aos olhos de Deus e obedeciam cuidadosamente a todos os mandamentos e estatutos do Senhor. Não tinham filhos, pois Isabel era estéril, e ambos já estavam bem velhos" (Lc 1.5-7). Infertilidade crônica pode ser profundamente dolorosa. Amigas minhas que a vivenciaram relatam que muitos sentimentos podem vir à tona e, em particular, como é difícil assistir a outros ao redor tendo filhos enquanto elas perdiam cada vez mais a esperança. A falta de filhos pareceria ainda mais desastrosa para Zacarias e Isabel, em uma cultura onde a infertilidade era ligada à vergonha, especialmente para a aspirante a mãe. Entretanto, seis meses antes de aparecer para a adolescente em Nazaré, Gabriel aparecera a Zacarias enquanto este estava servindo no templo e lhe contara que Isabel teria um filho chamado João, que seria "cheio do Espírito Santo, antes mesmo de nascer" (Lc 1.13-15). Quando Gabriel visitou Maria, Isabel já estava com seis meses de gravidez. As últimas palavras de Gabriel a Maria foram: "sua parenta, Isabel, ficou grávida em idade avançada. As pessoas diziam que ela era estéril, mas ela concebeu um filho e está no sexto mês de gestação. Pois nada é impossível para Deus" (Lc 1.36-37).

A primeira história em Lucas é o encontro de Gabriel com Zacarias, o que poderia nos levar a pensar que Deus cumpriria suas antigas promessas por meio do filho de Zacarias e Isabel. Afinal, a história dos judeus começou com uma promessa a um homem velho e sem filhos chamado Abraão e sua esposa Sara (Gn 12.2-3). Mas, em vez de Zacarias assumir o papel de Abraão, é Maria que terá o filho que será o Prometido. Quando Isaque, o filho de Abraão, nasceu, o futuro de todo o povo de Deus encarnou-se em seu corpo de bebê. Quando Maria deu à luz Jesus, ele encarnou todo o povo de Deus também. Jesus é o Escolhido em quem convergem o próprio Deus, o povo de Deus e as promessas de Deus. Mas o bebê de Zacarias e Isabel, depois conhecido como João Batista, desempenhou um papel vital também. Jesus identificou João com o grande profeta Elias do Antigo Testamento, enviado para preparar o caminho para o Messias prometido (Mt 11.14). Antes que João fosse velho o bastante para falar uma palavra e Zacarias pudesse voltar a falar, todavia, Isabel disse palavras proféticas a Maria.

Lucas poderia ter facilmente cortado essa cena entre Maria e Isabel sem prejudicar a narrativa. Ainda assim, ele abre espaço para que ouçamos as palavras proféticas dessas duas mulheres — palavras que vêm ecoando ao longo dos séculos —, porque Maria e Isabel não são *apenas* as mães biológicas de Jesus e João. Elas também atuam como profetisas por mérito próprio. Quando se trata da habilidade única das mulheres em ter filhos, é fácil cometer um destes dois erros: supervalorizar a concepção, como se essa fosse a principal razão pela qual as mulheres existem, ou subestimá-la, como se criar uma nova vida fosse de pouca importância. O retrato panorâmico que Lucas nos dá dessas duas mulheres grávidas nos ajuda a não cair em nenhuma dessas armadilhas.

Quando Maria chega à casa de Isabel, sua voz inicia uma reação em cadeia. Primeiro, o bebê ainda não nascido João se agita no útero de Isabel. Então Isabel "ficou cheia do Espírito

PROFECIA

Santo" (Lc 1.41). No Antigo Testamento, grandes líderes do povo de Deus ou grandes profetas às vezes ficavam cheios do Espírito (p. ex., Nm 27.18; Ez 2.2; Mq 3.8). Mais tarde na história, Zacarias também "ficou cheio do Espírito Santo" e profetizou (Lc 1.67). Mas aqui é Isabel quem fica cheia do Espírito, e Deus lhe revela quem é Jesus. Ao ouvir a saudação de Maria, ela exclama:

> Você é abençoada entre as mulheres, e abençoada é a criança em seu ventre! Por que tenho a grande honra de receber a visita da mãe do meu Senhor? Quando ouvi sua saudação, o bebê em meu ventre se agitou de alegria. Você é abençoada, pois creu no que o Senhor disse que faria!
>
> Lucas 1.42-45

Maria nem precisa contar as novidades a Isabel. Isabel sabe. O Espírito Santo lhe revelou o que Gabriel tinha dito a Maria. Ela sabe que Maria está grávida do Senhor, e que Maria acreditou no que Deus lhe prometeu. Nos tempos do Antigo Testamento, Deus falava por meio de profetisas.[2] Aqui, Deus concede a Isabel o dom da profecia para discernir quem é Jesus, mesmo antes que ele nasça. Cronologicamente, essas são as primeiras palavras proféticas ditas por um ser humano e registradas na Bíblia desde o profeta Malaquias quatro séculos antes.

Sendo uma mulher mais velha e casada, Isabel é socialmente superior a Maria. Mas Jesus muda isso tudo. Esse é o momento de glória de Isabel. A vergonha cultural de sua infertilidade foi removida. Ela está grávida de um profeta, está cheia do Espírito Santo, e o que ela diz? Palavras que

[2] Por exemplo, Débora (Jz 4.4) e Hulda (2Rs 22.14-20; 2Cr 34.22-28).

35

demonstram sua humildade e exaltam a parenta mais jovem. Ao olharmos pelos olhos de Isabel, vemos que Jesus é nosso Senhor, mesmo quando isso está muito distante do que parece ser. Jesus está em forma embrionária, invisível a olhos humanos. Ele não tem nenhum poder terreno. Mas Isabel, cheia do Espírito, vê a verdade. Ela sabe que está na presença do Senhor.

Louvando a Deus

Até esse ponto no Evangelho de Lucas, Maria falou apenas duas frases. Lucas está se contendo para que a próxima fala dela nos atinja como um tornado. Respondendo à manifestação profética de Isabel, Maria profere um dos mais longos e poderosos discursos feitos por alguém nos Evangelhos além do próprio Jesus:

> Minha alma exalta ao Senhor!
> Como meu espírito se alegra em Deus, meu Salvador!
> Pois ele observou sua humilde serva,
> e, de agora em diante, todas as gerações me chamarão
> abençoada.
> Pois o Poderoso é santo,
> e fez grandes coisas por mim.
> Demonstra misericórdia a todos que o temem,
> geração após geração.
> Seu braço poderoso fez coisas tremendas!
> Dispersou os orgulhosos e os arrogantes.
> Derrubou príncipes de seus tronos
> e exaltou os humildes.
> Encheu de coisas boas os famintos
> e despediu de mãos vazias os ricos.

PROFECIA

Ajudou seu servo Israel
  e lembrou-se de ser misericordioso.
Pois assim prometeu a nossos antepassados,
  a Abraão e a seus descendentes para sempre.

Lucas 1.46-55

Maria vê seu lugar em meio ao grande alcance das promessas de Deus de Abraão em diante. Ela reconhece o privilégio extraordinário que lhe foi concedido e que todas as gerações a chamarão de abençoada. Porém, em vez de se concentrar em si mesma, Maria se derrama em louvor a Deus. Seu discurso é como uma tapeçaria vistosa composta por muitos fios do Antigo Testamento entrelaçados. Em especial, porém, suas palavras ecoam o discurso de uma mãe do Antigo Testamento que pronuncia um dos discursos mais magníficos feitos por qualquer ser humano nas Escrituras.

A exemplo de Isabel, Ana era cronicamente infértil. Mas orou a Deus por um filho, e ele lhe deu um filho que se tornou o profeta Samuel. A oração de ação de graças de Ana pelo nascimento de Samuel começa de modo semelhante à de Maria: "Meu coração se alegra no SENHOR" (1Sm 2.1). Como Maria, Ana prossegue louvando o Deus de grandes reversões: "O arco dos poderosos foi quebrado, e os que tropeçavam agora estão firmes. Os que tinham fartura de comida agora passam fome, e os que passavam fome estão saciados [...]. [O SENHOR] levanta o pobre do pó e do monte de cinzas tira o necessitado. Coloca-os entre príncipes e os faz sentar em lugares de honra" (1Sm 2.4-5,8a; Lc 1.51-53). Porém, ainda mais importante, o discurso de Ana se encerra com uma profecia direta sobre o Cristo, o Rei prometido de Deus: "O SENHOR julga em toda a terra", Ana conclui. "Ele dá poder a seu rei, concede força a seu ungido" (1Sm 2.10). O termo aqui traduzido como "ungido" assinala a primeira vez que as Escrituras hebraicas usam a palavra que indica o "Messias" em uma profecia direta sobre o Rei de Deus. Nossa palavra "Cristo" é a forma grega dessa palavra. A profecia de Ana obteve a primeira confirmação quando seu filho, Samuel, ungiu os dois primeiros reis de Israel, Saul e Davi. Mas a derradeira confirmação da profecia de Ana é o próprio Jesus.

Ana foi a primeira a profetizar diretamente sobre o Rei ungido do Senhor. Maria foi a primeira a descobrir sua identidade. Olhando para Jesus pelo antigo telescópio dos olhos de Ana e Maria, vemos aquele que vira a mesa de todo o poder humano, aquele que ergue o humilde e humilha o poderoso, aquele que é o Salvador de seu povo, mostrando misericórdia mesmo quando mostra sua força.

Nascimento

Dei à luz três vezes. Com todo o conforto de um hospital moderno, incluindo anestesia epidural, ainda assim foi uma experiência angustiante e humilhante. A dor, sangue e exposição envolvidos em trazer um novo ser humano a este mundo são inevitáveis — por mais bolas de ioga e práticas de meditação a que se recorra. Mas dar à luz na pobreza dois mil anos atrás era algo bem diferente. Havia um risco significativo de morte no parto, e Maria estava longe de casa e sem os confortos mais básicos. Jesus nasceu em Belém: a cidade natal do rei Davi. No entanto, longe de nascer no luxo da realeza, ele veio ao mundo na pobreza. Como sabemos, Maria "envolveu-o em faixas de pano e deitou-o numa manjedoura, porque não havia lugar para eles na hospedaria" (Lc 2.7).

PROFECIA

Maria profetiza que, por meio de Jesus, o Senhor exaltaria os humildes à custa dos ricos (Lc 1.52-53). Quando deita Jesus em um berço improvisado, Maria testemunha o ponto fulcral dessa reversão, na medida em que o maior Rei da história foi envolto na pobreza dela.

O nascimento de Jesus na pobreza não é um acidente. É um sinal. Naquela noite, um anjo aparece a pastores da região, eles próprios pobres e de classe humilde. O anjo lhes diz:

> Não tenham medo! Trago boas notícias, que darão grande alegria a todo o povo. Hoje em Belém, a cidade de Davi, nasceu o Salvador, que é Cristo, o Senhor! Vocês o reconhecerão por este sinal: encontrarão o bebê enrolado em faixas de pano, deitado numa manjedoura.
>
> Lucas 2.10-12

O nascimento de Jesus é uma boa-nova que dá grande alegria a todas as pessoas. Mas é esse grupo de pastores humildes que recebe a notícia divina — não os líderes religiosos ou políticos. Quando os pastores encontram "Maria e José, e [...] o bebê, deitado na manjedoura", eles transmitem a mensagem do anjo a todos os que lhes dão ouvidos (Lc 2.16-18). Porém Lucas destaca a reação de Maria em especial: "Maria [...] guardava todas essas coisas no coração e refletia sobre elas" (Lc 2.19). Como vemos Jesus pelos olhos de Maria nesse momento? Nós o vemos como aquele por meio do qual as promessas de Deus já estão se realizando. Vemos que a falta de lugar na hospedaria não é um erro, mas uma mensagem. Jesus veio para os pobres e excluídos em primeiro lugar. Mas ele é também o Salvador para todas as pessoas: ricos e pobres, homens e mulheres, jovens e velhos. Enquanto Maria aprende a amamentar o filho, aprende também mais sobre quem ele realmente é: "o Salvador, que é Cristo, o Senhor" (Lc 2.11).

Sacrifício e espada

Um dos efeitos colaterais do parto são semanas de sangramento. Não é nada glamoroso. A lei do Antigo Testamento recomendava a espera de algum tempo depois que o sangramento pós-parto da mãe parasse antes que o bebê fosse levado ao templo em Jerusalém. Quando Maria e José levaram Jesus com um mês de idade ao templo para fazer o sacrifício exigido para o primeiro filho, sua pobreza foi novamente ressaltada, pois eles ofereceram o sacrifício mais barato: "duas rolinhas ou dois pombinhos" (Lc 2.24). Mas a pobreza não consegue esconder quem é Jesus. Lucas nos conta sobre um homem chamado Simeão: "o Espírito o conduziu ao templo"; ele tomou Jesus nos braços e louvou a Deus (Lc 2.27-28). O Espírito lhe dissera que ele não morreria antes de ver "o Cristo enviado pelo Senhor" (Lc 2.26), e agora aquele momento havia chegado. Entretanto, depois de louvar a Deus e abençoar Maria e José, Simeão diz estas palavras perturbadoras para Maria em particular:

> Este menino está destinado a provocar a queda de muitos em Israel, mas também a ascensão de tantos outros. Foi enviado como sinal de Deus, mas muitos resistirão a ele. Como resultado, serão revelados os pensamentos mais profundos de muitos corações, e você sentirá como se uma espada lhe atravessasse a alma.
>
> Lucas 2.34-35

Gabriel contou a Maria que ela era favorecida por Deus. Isabel disse-lhe que ela era abençoada entre as mulheres. Mas as palavras de Simeão devem tê-la atingido no âmago. Uma espada lhe atravessaria a alma? Maria já correra o risco de cair em desgraça. Já experimentara a dor do parto e suas penosas consequências. Contudo a mais abençoada entre as mulheres ainda enfrentaria mais sofrimento. Se olharmos para Jesus pelos olhos de Maria nesse instante, veremos que ser próxima de Jesus significa abraçar o sofrimento. Enquanto escuta Simeão, Maria tem um vislumbre do futuro. Jesus sofreria oposição, e a alma dela seria trespassada. No entanto, enquanto ela ainda absorvia essas palavras, Deus enviou uma profetisa para tranquilizá-la.

Ana, a profetisa

Dei a este capítulo o título "Profecia", e talvez você esteja pensando se não é um exagero usar esse termo para as palavras ditas por Maria e Isabel. Porém quando Lucas conclui a narrativa dos eventos cercando o nascimento de Jesus, ele nos apresenta uma mulher a quem chama diretamente de profetisa:

> A profetisa Ana, filha de Fanuel, da tribo de Aser, também estava no templo. Era muito idosa e havia perdido o marido depois de sete anos de casados e vivido como viúva até os 84 anos. Nunca deixava o templo, adorando a Deus dia e noite, em jejum e oração. Chegou ali naquele momento e começou a louvar a Deus. Falava a respeito da criança a todos que esperavam a redenção de Jerusalém.
>
> Lucas 2.36-38

O nome de Ana — que em hebraico é Hannah — é compartilhado somente por outra mulher na Bíblia: a mãe de Samuel. Era um nome bastante incomum na época, então a conexão saltaria aos olhos para os judeus do primeiro século.[3] As duas Anas eram conhecidas por orar continuamente. A mãe de Samuel profetizou sobre o Messias, por meio de quem o Senhor julgaria em toda a terra, e esta segunda Ana vem para profetizar sobre o Messias, que finalmente nasceu. A segunda Ana reúne os fios da tapeçaria que Maria teceu com as palavras da primeira Ana.

Ana é uma viúva idosa — o tipo de mulher que frequentemente é ignorada em nossa cultura atual. Foi solteira durante a maior parte da vida, e é completamente devotada ao Senhor: adorando e orando dia e noite. O nível de detalhe que Lucas nos dá sobre sua história anterior é notável. Lucas nos diz o nome do pai de Ana e que ela vem "da tribo de Aser" (Lc 2.36). O território original da tribo de Ana eram as montanhas a oeste da Galileia. Mas a tribo de Aser foi quase toda exterminada no julgamento do reino do norte de Israel. Ana aparece aqui como uma remanescente dessa tribo, religando os dois reinos históricos de Israel e Judá como uma profetisa baseada em Jerusalém de uma tribo devastada do norte. Ana também testemunhou uma extensão impressionante da história judaica. Tendo 84 anos, nasceu em uma época em que os judeus se autogovernavam, viveu ao longo do próspero reino da rainha Salomé Alexandra e viu o fim avassalador da soberania judaica quando os romanos assumiram em 63 a.C.

Ana, a viúva idosa, parece muito diferente de Maria, a mãe adolescente. Elas representam as duas extremidades de uma linha do tempo enquanto ambas observam Jesus. Mas

---

[3] Richard Bauckham comenta: "Das 247 mulheres judias na Palestina do período entre 330 a.C. e 200 d.C. cujos nomes são conhecidos, nossa Ana é a única com esse nome". Bauckham, *Gospel Women*, p. 92.

ambas recebem a revelação do Senhor sobre o Rei prometido por meio do qual Deus finalmente redimiria seu povo. Ao ver Jesus, Ana "começou a louvar a Deus. Falava a respeito da criança a todos que esperavam a redenção de Jerusalém" (Lc 2.38). Maria e Isabel profetizaram em particular; Ana profetizou em público: no templo, para todos os que estavam esperando a redenção de Deus. Pelos olhos dela, vemos Jesus como o Redentor do povo de Deus, vindo, não para restaurar a autogestão judaica, como na época da rainha Salomé Alexandra, mas para operar uma redenção muito maior do que o autogoverno político.

Ana não foi a primeira pessoa a profetizar sobre Jesus. Mas, se pensarmos cronologicamente, ela foi a primeira pessoa na Bíblia chamada oficialmente de profeta ou profetisa desde a morte do último profeta do Antigo Testamento, Malaquias, cerca de quatro séculos antes. Malaquias profetizou: "o Senhor a quem vocês buscam virá a seu templo. O mensageiro da aliança, por quem vocês anseiam, certamente virá" (Ml 3.1b). A profetisa Ana agora testemunha a vinda do Senhor a seu templo, quando o menino Jesus, de um mês de idade, é levado lá nos braços da mãe. Mas, embora as palavras de redenção de Ana sejam tranquilizadoras, Maria logo vivencia a verdade da perturbadora profecia de Simeão sobre a oposição que Jesus enfrentaria.

Magos e assassinato

Uma de minhas primeiras lembranças de infância é de minha mãe me levando ao ensaio de seu coral em Londres. Lembro-me da grandiosa sala de concertos e das vozes maravilhosas que me cercavam enquanto eu ficava sentada nos degraus, esperando minha mãe, admirando-me de tudo aquilo. O refrão da canção que me lembro que eles ensaiavam começa com o verso "Veja o brilho intenso de sua estrela".

A canção salta pelas oitavas de um modo belo e dramático, como que para explicar como céu e terra se reuniram quando Jesus nasceu. A letra se inspira no relato de Mateus dos homens sábios do Oriente que foram a Jerusalém dizendo: "Onde está o recém-nascido rei dos judeus? Vimos sua estrela no Oriente e viemos adorá-lo" (Mt 2.1-2).

A vinda dos sábios — ou magos — provavelmente aconteceu alguns meses após o nascimento de Jesus, e embora eles tivessem, evidentemente, educação refinada, ao que parece sua sabedoria não se estendia à política. Se o fizesse, eles teriam sabido se desviar de Herodes, o rei dos judeus naquela época. Herodes pergunta aos principais sacerdotes e mestres da lei onde o Cristo deveria nascer. Eles respondem: "Em Belém da Judeia" e apontam para a profecia de Miqueias (Mt 2.5-6; Mq 5.2). Então Herodes envia os sábios a Belém, alegando que ele também deseja adorar o novo Rei.

Os magos se ajoelham diante de Jesus: "Ao entrar na casa, viram o menino com Maria, sua mãe, e se prostraram e o adoraram. Então abriram seus tesouros e o presentearam com ouro, incenso e mirra" (Mt 2.11). Para Maria, essa visita deve ter parecido uma confirmação do que o anjo lhe anunciara. Dessa vez o menino estava sendo venerado não por pastores, mas por estrangeiros ricos e de educação elevada. Todavia, quando eles partem, a soturna realidade do aviso de Simeão se manifesta. Na tentativa de eliminar Jesus, Herodes ordena um massacre de todos os meninos com menos de dois anos em Belém, e Maria e José são obrigados a fugir para o Egito (Mt 13-18). Como Maria deve ter se aferrado às palavras de

PROFECIA

Ana enquanto vivenciou essa ameaça e tempo de exílio! Sim, Jesus é o Rei prometido por Deus. No entanto, desde a infância de Jesus ela vê quão controverso ele é. Alguns viajam de longe para adorá-lo, enquanto outros o odeiam tanto que o desejam morto.

Não muito tempo depois disso, o próprio Herodes morreu. Seu filho, igualmente perigoso, assumiu o governo da Judeia, e Maria e José se estabeleceram em Nazaré. Mas os efeitos do brutal domínio romano eram inescapáveis. Logo após a morte de Herodes, um homem chamado Judas liderou uma rebelião na região e apoderou-se de um arsenal em Séforis, uma cidade maior a seis quilômetros de Nazaré. Os romanos responderam com força decisiva: incendiaram Séforis até às cinzas, venderam seu povo como escravos e crucificaram cerca de dois mil judeus.[4] Esse é o mundo em que Maria criou seu filho: o filho que se supõe ser o Rei de Deus que irá destruir o império. É um mundo em que tentativas de derrubar o domínio de Roma conduzem diretamente à crucificação. A mais abençoada entre as mulheres viverá com esse penoso conhecimento enquanto vê o filho crescer. Sim, ela foi favorecida por Deus, mas a espada um dia lhe perfuraria a alma de mãe.

A vulnerabilidade da maternidade começa com a gravidez. Todos os dias de minha primeira gravidez eu me preocupava de que pudesse perder o bebê. Meus filhos agora estão crescidos: 11, 9 e 3 anos. Neste momento, eles estão saudáveis, felizes e — o que é mais importante — reconhecem Jesus como seu Senhor. No entanto, todos os dias enfrento preocupações com seu futuro. E se uma grave depressão afetar

---

[4] O historiador judeu Josefo relata isso em *Antiguidades judaicas* 17.10.

meus filhos? E se o coração deles se partir ou seu corpo for irremediavelmente ferido? E se, o que é o mais assustador de tudo para mim, eles se afastarem de Jesus ao final? Ser mãe é como enviar o coração para o mundo sem o corpo: desprotegido, fora de seu controle. Como Maria deve ter sentido esse medo, sabendo o que seu filho nasceu para ser, e tendo esse primeiro vislumbre de como ele sofreria oposição!

De volta ao templo

O último vislumbre que temos da infância de Jesus pelos olhos de Maria é quando ele está com doze anos. Maria e José o levam ao templo para a Páscoa. Depois da celebração, a família parte. Mas Jesus fica. Maria e José andam durante um dia inteiro até notarem que Jesus não está com eles. Voltam e percorrem Jerusalém durante três dias, sem dúvida em pânico crescente. Finalmente, encontram Jesus no templo, sentado entre os mestres da lei, escutando e fazendo-lhes perguntas. Lucas nos diz que "todos que o ouviam se admiravam de seu entendimento e de suas respostas" (Lc 2.47). Mas Maria pergunta a ele: "Filho, por que você fez isso conosco? Seu pai e eu estávamos aflitos, procurando você por toda parte" (Lc 2.48). Jesus responde: "Mas por que me procuravam? Não sabiam que eu devia estar na casa de meu Pai?" (Lc 2.49). Apesar de todas as revelações de Deus sobre Jesus, Maria não entendeu. Lucas nos conta que Maria e José não entenderam o que ele queria dizer (Lc 2.50). Porém, uma vez mais, Maria "guardava todas essas coisas no coração" (Lc 2.51).

Ao olhar pelos olhos de Maria nesse momento, vejo minha própria incapacidade. Maria foi a primeira a receber as notícias maravilhosas sobre Jesus. No entanto ela não consegue entender quem Jesus realmente é, e como ele ainda seria muito mais do que tudo o que ela consegue imaginar. Sei que Jesus é o Filho de Deus. Mas, na maior parte do tempo, sigo com minha vida como se essa verdade não precisasse abalar cada um de meus instantes. Vivo como se meus planos pudessem prosperar sem Jesus no centro deles. Entretanto, Jesus não pode ser adaptado a nossa vida, introduzido quando for conveniente. Ele é o Senhor de tudo o que temos, somos e seremos — ou não é. Como Maria, posso prosseguir durante dias inteiros esquecendo-me de Jesus. Posso tocar meus planos em frente. Mas depois preciso voltar. Se eu pudesse realmente ver quem é Jesus, saberia que cada segundo de minha vida pertence a ele. Como quase todas as pessoas próximas de Jesus nos Evangelhos, vemos as vezes em que Maria deixa de reconhecer quem é Jesus. Ainda assim, como discutiremos no capítulo 3, nós também vemos como Jesus permanece com ela e cuida dela até o fim.

Maria, Isabel e a profetisa Ana levaram vidas muito diferentes. Maria era jovem, pobre e aparentemente irrelevante. Isabel viveu a maior parte da vida com vergonha cultural e sofrimento pessoal pela infertilidade. Ana enviuvara jovem e agora era velha. Porém cada uma delas pronunciou palavras inspiradas por Deus que nos ajudam a ver quem é Jesus. Muito do que sabemos sobre a concepção e infância de Jesus nós só sabemos porque as mulheres que o cercavam transmitiram seu testemunho. Quando olhamos por seus olhos hoje, podemos ver Jesus como verdadeiramente é: o Filho de Deus, nascido na pobreza, revelado na história, enviado para redimir seu povo e ser o Rei prometido, eterno e universal de Deus.

– Questões para discussão –

Primeiros passos: Compartilhe um momento em que você tenha recebido notícias animadoras. Como você reagiu? Pode ser algo grande, como saber que você obteve o emprego de seus sonhos, ou algo simples, como saber que a pessoa diante de você na lanchonete lhe comprou uma bebida.

1. Como os acontecimentos na história de Israel que precederam a época em que Maria viveu nos ajudam a ver o significado do anúncio de Gabriel em Lucas 1.30-33?
2. O que sabemos sobre o passado de Maria, Isabel e Ana?
3. Por que é importante que mulheres tenham proferido palavras proféticas sobre Jesus?
4. A Bíblia descreve um reino de Deus de cabeça para baixo, totalmente diferente do que poderíamos esperar — os primeiros são os últimos, os humildes são exaltados e o Rei morre. Como o nascimento de Jesus por meio de Maria se encaixa nesse quadro do reino de Deus?
5. O que a gravidez de Ana, de Maria e de Isabel apresentam em comum? O que elas revelam sobre o caráter de Deus?
6. De que forma Maria experimentou dor ou preocupação ao saber de Jesus? Como a experiência dela se relaciona à vida cristã?
7. Você já lutou contra o sentimento de ser insignificante, negligenciado ou excluído? Como as histórias das mulheres neste capítulo podem trazer esperança ao seu desânimo?
8. De que forma a sua visão de Jesus se tornou mais profunda ao vê-lo pelos olhos dessas mulheres?

PROFECIA

Aprofundamento: Leia a oração de ação de graças de Ana pelo nascimento de Samuel em 1Samuel 2.1-10 e a oração de Maria em Lucas 1.46-55.

1. Que similaridades você vê entre a oração de Ana e a de Maria? Que características de Deus elas louvam?
2. Que profecia Ana faz em 1Samuel 2.10? Como a oração de Maria assinala seu cumprimento?
3. Tanto Ana quanto Maria enfatizam a força e a misericórdia de Deus. Em qual dessas qualidades você tende a se concentrar? Como a reunião da misericórdia e da força de Deus pode afetar sua adoração?

2
Discipulado

"Por que Jesus não tinha nenhuma discípula?" Minha filha de nove anos, Eliza, sempre faz as perguntas mais difíceis, e elas vêm como metralhadora, fogo rápido. Muitas vezes, quando ela começa sua inquisição, eu respondo com um "não tenho realmente certeza". Parte do meu trabalho como mãe é ser sincera quando não sei a resposta. Mas quando ela fez *essa* pergunta, eu apenas sorri e respondi: "Ele tinha".

Neste capítulo, conheceremos as mulheres cujos nomes são citados entre os discípulos itinerantes de Jesus. Depois nos concentraremos nas duas mulheres — Maria e Marta de Betânia — que não viajavam com Jesus, mas que, não obstante, estavam entre seus seguidores mais próximos. Ao vermos Jesus pelos olhos dessas mulheres, nós o veremos como um rabi judeu diferente de todos os outros: um mestre enviado por Deus para mudar o mundo. Mas veremos também quão impossível é dizer que Jesus não é mais do que isso. Na verdade, veremos que alegar que Jesus é *apenas* um bom mestre é como dizer que o sol é *apenas* uma fonte de luz.

As discípulas de Jesus

Eliza tinha bons motivos para fazer aquela pergunta. As doze tribos de Israel começaram com os doze filhos do neto de

Abraão, Jacó, e Jesus escolheu doze homens judeus como seus "apóstolos", sinalizando um novo início para o povo de Deus.[1] Marcos assim descreve os apóstolos: "Escolheu doze e os chamou seus apóstolos, para que o seguissem e fossem enviados para anunciar sua mensagem, e lhes deu autoridade para expulsar demônios" (Mc 3.14-15). A partir desse momento, quando Marcos usa a palavra "discípulos", ele tende a se referir a esses doze apóstolos. Mas Lucas explica que os doze eram um subconjunto dos discípulos de Jesus. Depois de uma noite de oração, Jesus "reuniu seus discípulos e escolheu doze para serem apóstolos" (Lc 6.13). E quanto ao grupo maior de discípulos que viajava com Jesus? Lucas deixa claro que esse grupo maior incluía várias mulheres.

Depois de contar uma história em que Jesus perdoou uma mulher notoriamente pecadora e a elogiou diante de um homem religioso constrangido, Lucas escreve:

> Pouco tempo depois, Jesus começou a percorrer as cidades e os povoados vizinhos, anunciando as boas-novas a respeito do reino de Deus. Iam com ele os Doze e também algumas mulheres que tinham sido curadas de espíritos impuros e enfermidades. Entre elas estavam Maria Madalena, de quem ele havia expulsado sete demônios; Joana, esposa de Cuza, administrador de Herodes; Susana, e muitas outras que contribuíam com seus próprios recursos para o sustento de Jesus e seus discípulos.
>
> Lucas 8.1-3

Lucas comenta que muitas das mulheres que viajavam com Jesus haviam sido curadas por ele — física ou espiritualmente — e que seu ministério era amparado financeiramente pelas

---

[1] Mateus 19.28 e Lucas 22.30 destacam essa conexão.

mulheres que o seguiam. Isso é significativo. Lucas frequentemente nos dirige o olhar para os pobres e marginalizados. Mas aqui temos um vislumbre das mulheres ricas que haviam sido atraídas por Jesus — tão cativadas por ele que deixaram seu lar e o seguiam aonde quer que ele fosse. Como vimos na introdução, os autores dos Evangelhos citavam o nome das pessoas a fim de assinalá-las como fontes que eram testemunhas oculares. Quando Lucas cita o nome dessas três mulheres em particular, provavelmente está indicando que elas estavam entre as testemunhas de cujo depoimento ele extrai seu relato da vida de Jesus.

Maria Madalena vem em primeiro lugar e se tornou, indubitavelmente, a mais famosa das discípulas de Jesus. Em vez de se distinguir das outras Marias por uma referência ao marido ou ao filho, ela é identificada por sua cidade natal — assim como Jesus é às vezes chamado "Jesus de Nazaré". Não conhecemos o estado civil de Maria nem se tinha filhos. Não sabemos como era sua aparência nem nada sobre sua história sexual. A ideia de que ela fosse uma prostituta regenerada foi sugerida séculos após sua morte. Tudo o que Lucas nos conta é que Jesus expulsou dela sete demônios. Maria Madalena fora violentamente assaltada por forças espirituais maléficas — a última pessoa que poderíamos esperar que fosse recrutada para o grupo central do Filho de Deus. Porém Jesus gosta de escolher as pessoas mais improváveis, e essa Maria não somente viajava com Jesus durante seu ministério como também desempenhou um papel fundamental ao testificar a ressurreição de Jesus. Maria Madalena passou de parque de diversões de demônios a uma das protagonistas do plano invertido de Deus para mudar o mundo. Que imagem captamos de Jesus pelos olhos dela? Nós o vemos como aquele que lhe transformou completamente a vida — aquele que a alçou de um poço demoníaco e a colocou em pé como uma dedicada discípula.

A segunda mulher que Lucas nomeia — "Joana, esposa de Cuza, administrador de Herodes" — é bem menos famosa hoje do que Maria Madalena. Podemos ler o Evangelho de Lucas dez vezes e não nos lembrar dela. Mas Joana teria chamado atenção dos primeiros leitores de Lucas devido a sua posição e conexão com o homem que prendeu e decapitou João Batista. Esse Herodes não é o rei Herodes, o Grande, que governava quando Jesus nasceu, mas um de seus filhos, Herodes Antipas, que governou a Galileia durante o ministério de Jesus. Lucas nos conta que, quando Herodes Antipas ouve falar de Jesus, ele quer conhecê-lo. "Eu decapitei João", ele diz. "Então quem é o homem sobre quem ouço essas histórias?" (Lc 9.9). Como Lucas fica sabendo da reação de Herodes? Provavelmente por meio de Joana. Como administrador de Herodes, Cuza ocuparia um posto elevado na corte de Antipas. Sua esposa teria acesso às fofocas da corte, e o fato de ter abandonado os confortos da corte para viajar com um rabi controvertido causaria frisson.[2]

Na realidade, a decisão de Joana de se tornar discípula de Jesus é extremamente perigosa. Herodes está curioso sobre Jesus, mas também deseja matá-lo (Lc 13.31). Depois que Jesus é preso, o governador romano Pilatos envia Jesus a Herodes, e Lucas nos conta: "Herodes se animou com a oportunidade de ver Jesus, pois tinha ouvido falar a seu respeito e esperava, havia tempo, vê-lo realizar algum milagre" (Lc 23.8). Mas Jesus não quis responder às perguntas de Herodes nem fazer demonstrações de poder, então "Herodes e seus soldados

---

[2] Ver Bauckham, *Gospel Women*, p. 136-137.

começaram a zombar de Jesus" (Lc 23.11). Como membro da corte de Herodes, Joana assume um risco enorme abandonando tudo para seguir Jesus, e as únicas observações de Lucas sobre o pensamento e comportamento de Herodes podem ter sido feitas graças a ela.

A elevada posição social de Joana também deixa claro que as mulheres que viajavam com Jesus não foram aceitas apenas para desempenhar tarefas domésticas. Na verdade, Bauckham defende que é "um equívoco supor que as mulheres [em Lucas 8.1-3] recebem, dentro da comunidade dos discípulos de Jesus, o tipo de papel específico de gênero que as mulheres desempenhavam em uma situação familiar normal".[3] Uma mulher da posição social de Joana teria servos em casa para cozinhar e fazer a limpeza para ela. Note-se, aliás, que as mulheres ricas entre as discípulas de Jesus patrocinavam sua missão. É claro que isso não significa que elas nunca "punham a mão na massa". Jesus ensinou aos seguidores repetidas vezes que servir aos outros faz parte do discipulado. Ele chegou a se ajoelhar e lavar os pés deles (Jo 13.1-17). Mas o fato de Lucas citar o nome de Joana, em particular, enfraquece a ideia de que as mulheres haviam sido levadas para fazer as tarefas domésticas para os homens. Como vemos Jesus pelos olhos de Joana? Nós o vemos como aquele que escolhe pessoas da corte de seu inimigo para servir em seu reino. Nós o vemos como aquele para quem toda posição social deve ser sacrificada, todos os amigos de postos elevados deixados para trás, aquele em quem seu dinheiro deve ser gasto, aquele por quem devemos arriscar tudo.

A última mulher a quem Lucas menciona pelo nome é chamada simplesmente de Susana. Seu nome não era comum,

---

[3] Ibid., p. 114.

então ela não precisava receber mais especificações. Mas ela devia ser bem conhecida, para Lucas escolhê-la do grupo maior de discípulas. O cuidado de Lucas ao referir-se a suas fontes que atuavam como testemunhas oculares é exemplificado quando ele cita Maria Madalena e Joana, mas não Susana, como testemunhas da ressurreição de Jesus. Em vez disso, Lucas menciona "Maria, mãe de Tiago" (Lc 24.10). Provavelmente Susana não estava entre as mulheres que foram ao túmulo de Jesus e o encontraram vazio, mas Lucas a havia consultado sobre episódios anteriores da vida de Jesus. Assim como Lucas nos cita Maria, Isabel e Ana como testemunhas de Jesus antes de nascer e quando recém-nascido, agora nos cita Maria Madalena, Joana e Susana como testemunhas do ministério de Jesus.

Mateus e Marcos também nos contam das mulheres que viajavam com Jesus, mas só depois da crucificação. Como Marcos escreve:

> Algumas mulheres observavam de longe. Entre elas estavam Maria Madalena, Maria, mãe de Tiago, o mais jovem, e de José, e Salomé. Eram seguidoras de Jesus e o haviam servido na Galileia. Também estavam ali muitas mulheres que foram com ele a Jerusalém.
>
> Marcos 15.40-41

Mateus também nomeia mulheres individuais entre o grupo que testemunha a crucificação de Jesus e que viajava com ele desde os primeiros dias na Galileia:

> Muitas mulheres que tinham vindo da Galileia com Jesus para servi-lo olhavam de longe. Entre elas estavam Maria Madalena, Maria, mãe de Tiago e José, e a mãe dos filhos de Zebedeu.
>
> Mateus 27.55-56

Tanto Mateus quanto Marcos citam Maria Madalena e Maria, mãe de Tiago e José. Escolhem, no entanto, mulheres diferentes como suas terceiras testemunhas oculares. Não se trata de um erro. Como relata Mateus, muitas das discípulas de Jesus testemunharam sua morte. Mas cada autor dos Evangelhos menciona as mulheres a cujo testemunho teve acesso em particular. Assim como três panegíricos em um funeral enfatizarão lembranças diferentes, também os autores dos Evangelhos consultam diversas pessoas que conheceram Jesus pessoalmente a fim de compilar suas narrativas. As mulheres que Lucas menciona em Lucas 8.1-3 estão entre "aqueles que, desde o princípio, foram testemunhas oculares e servos da palavra" (Lc 1.2). Na vez seguinte em que ele dá nome às mulheres, está relatando uma história exclusiva de seu Evangelho em que Jesus confirma especificamente o discipulado feminino.

Sentada aos pés de Jesus

Jesus e seus discípulos haviam entrado em uma aldeia, e uma mulher chamada Marta recebeu Jesus em sua casa (Lc 10.38). "Marta" era o quarto nome mais comum entre mulheres judias daquele tempo e local. A irmã dela se chamava (como você deve ter adivinhado) Maria.[4] A história que Lucas nos conta sobre essas irmãs muitas vezes é usada como um teste bíblico de personalidade: "Você é uma pessoa tipo 1, Ativa, como Marta, ou tipo 2, Contemplativa, como Maria?". Mas essa interpretação não leva em conta o mais importante.

---

[4] Cerca de 6% das mulheres judias na região se chamavam Marta. Ver Bauckham, *Beloved Disciple*, p. 175.

A história não diz respeito a dois tipos de personalidade. Diz respeito a duas reações a Jesus, e a validação dada por Jesus ao discipulado feminino.

Tendo convidado Jesus a vir à sua casa, Marta estava "ocupada com seus muitos afazeres" (Lc 10.40). A palavra que Lucas usa para os "afazeres" de Marta vem do mesmo verbo que aquela que ele usou para descrever as mulheres que "contribuíam com seus próprios recursos para o sustento de Jesus e seus discípulos" em Lucas 8.3. Nesse contexto, no entanto, ele está claramente se referindo a deveres domésticos. Então será que essa história dá sustentação à interpretação de que as seguidoras de Jesus o acompanhavam apenas para cozinhar e limpar? De forma alguma. Enquanto Marta estava "ocupada com seus muitos afazeres", Maria "sentou-se aos pés de Jesus e ouvia o que ele ensinava" (Lc 10.39).

Sentar-se aos pés de alguém é uma postura de discipulado. O apóstolo Paulo, por exemplo, descreve a si mesmo como tendo sido "instruído aos pés de Gamaliel" (At 22.3, RA). Como comenta o estudioso do Novo Testamento Darrell Bock, "o retrato de uma mulher na posição de discípula, aos pés de Jesus, seria espantoso em uma cultura em que as mulheres não recebiam a educação formal de um rabi".[5] Talvez essa Maria tenha sido incentivada a sentar-se aos pés de Jesus vendo Maria Madalena, Joana, Susana e as outras mulheres entre os discípulos de Jesus. Como acontece tão frequentemente quando Jesus permite que pessoas controvertidas se aproximem, ele é criticado por deixar Maria assumir aquele

---

[5] Darrell Bock, *Luke: 9:51–24:53*, vol. 2, Baker Exegetical Commentary on the New Testament (Grand Rapids, MI: Baker Academic, 1996), p. 1037.

lugar. Nessa história, porém, o desafio não vem dos fariseus, que estão sempre ávidos por encontrar falhas em Jesus, nem dos discípulos homens de Jesus, que muitas vezes o interpretam mal. Vem de Marta.

Marta diz a Jesus: "Senhor, não o incomoda que minha irmã fique aí sentada enquanto eu faço todo o trabalho? Diga-lhe que venha me ajudar!" (Lc 10.40). Em certo sentido, é um pedido razoável. Por que Marta deveria cuidar de todo o trabalho enquanto Maria fica sentada? Quem Maria pensa que é? Mas Jesus responde com uma reprimenda suave, não a Maria, como fora requisitado, mas a Marta: "Marta, Marta, você se preocupa e se inquieta com todos esses detalhes. Apenas uma coisa é necessária. Quanto a Maria, ela fez a escolha certa, e ninguém tomará isso dela" (Lc 10.41-42).

A repetição que Jesus faz do nome de Marta comunica carinho. A única outra vez que Jesus fala assim com alguém em Lucas é quando ele diz: "Simão, Simão, Satanás pediu para peneirar cada um de vocês como trigo. Contudo, supliquei em oração por você, Simão, para que sua fé não vacile" (Lc 22.31-32). O lamento de Jesus por Jerusalém apresenta uma mescla semelhante de amor e tristeza: "Jerusalém, Jerusalém, cidade que mata profetas e apedreja os mensageiros de Deus! Quantas vezes eu quis juntar seus filhos como a galinha protege os pintinhos sob as asas, mas você não deixou" (Lc 13.34).[6] A interpelação de Jesus a Marta é sincera. Se ele houvesse falado em português hoje, poderia ter dito: "Ah, Marta!".

---

[6] Darrel Bock inclui os discípulos dizendo: "Mestre, mestre" a Jesus antes que ele acalme a tempestade (Lc 8.24) como outro exemplo de um vocativo repetido para comunicar uma forte emoção. Ver Bock, *Luke*, p. 1042.

O restante da resposta de Jesus se liga tanto às palavras que Marta acaba de proferir quanto às palavras ditas séculos antes. O elo imediato é entre o alimento literal e espiritual. Marta está servindo uma refeição a seus convidados, enquanto Maria "fez a escolha certa", ou escolheu a "boa porção", ou seja, "o alimento certo", aprendendo com Jesus.[7] Mas as palavras de Jesus também remontam ao hinário hebraico. Em Salmos 16.5, o rei Davi declara: "O SENHOR é a porção da minha herança e o meu cálice" (Sl 16.5, RA), enquanto no Salmo 73 Asafe pergunta "Quem mais eu tenho no céu senão a ti? Eu te desejo mais que a qualquer coisa na terra. Minha saúde pode acabar e meu espírito fraquejar, mas Deus continua sendo a força de meu coração; ele é minha porção para sempre" (Sl 73.25-26). O salmo mais longo da Bíblia reitera esse ponto: "o SENHOR, é a minha porção" (Sl 119.57, RA). Marta acha que está servindo a Jesus dando-lhe uma refeição. Mas Jesus esclarece que é ele que está servindo o verdadeiro alimento — e Maria está certa em sentar à sua mesa.

Como vemos Jesus pelos olhos dessas irmãs no Evangelho de Lucas? Nós o vemos como aquele que acolhe as mulheres e defende seu direito de aprender dele. Nós também o vemos como aquele que nos dá muito mais do que poderíamos esperar dar a ele.

Mulheres a quem Jesus amava

Muitas vezes as pessoas se chocam pela minha falta de conhecimento das celebridades. Certa vez confundi Beyoncé

---

[7] Bock sugere "a refeição correta" como uma paráfrase de "boa porção". Ver Bock, *Luke*, p. 1042.

com Adele. Outra vez — embora eu tenha vivido na Nova Inglaterra durante anos — uma amiga teve de me explicar que Tom Brady não era, na verdade, um jogador de beisebol. O modo como apresentamos alguém depende de se esperamos que nossa plateia saiba quem é a pessoa ou não, e meus amigos aprenderam a não pressupor nada. Mas, quando João apresenta Maria e Marta de Betânia, ele o faz de uma forma que pressupõe que seus leitores já tenham ouvido falar delas:

> Um homem chamado Lázaro estava doente. Ele morava em Betânia com suas irmãs, Maria e Marta. Foi Maria, a irmã de Lázaro, que mais tarde derramou perfume caro nos pés do Senhor e os enxugou com os cabelos.
>
> João 11.1-2

Na cultura judaica do primeiro século, as mulheres costumavam ser identificadas por seu relacionamento com um parente masculino próximo. Porém João inverte isso e nos apresenta Lázaro como irmão de Maria e Marta. Ainda mais: João parece sugerir que Maria (provavelmente a mais jovem das irmãs) fosse a mais conhecida, e refere-se a algo que Maria fez como se seus leitores já houvessem ouvido falar naquilo antes. Esse episódio está registrado em Mateus, Marcos e no capítulo seguinte de João. Iremos examiná-lo brevemente. Mas aqui, no início de João 11, vemos essas irmãs enviando uma mensagem de socorro a Jesus: "Senhor, seu amigo querido está muito doente" (Jo 11.3).

Essa mensagem é reveladora. Maria e Marta não se referem ao irmão como "Lázaro", mas como "seu amigo querido". João se refere a si mesmo como "o discípulo a quem Jesus amava" (Jo 13.23; 19.26; 20.2; 21.7), mas esse versículo destaca que ele não é o único a ser amado por Jesus. E, antes que concluamos que Jesus amava mais a seus discípulos homens, João enfatiza o amor de Jesus pelas irmãs: "Jesus amava Marta, Maria e Lázaro" (Jo 11.5). A palavra grega que João usa aqui é *agapao* — a mesma palavra que Jesus usa para descrever o amor do Pai por ele (Jo 10.17).[8] Jesus ama esses irmãos do modo mais profundo. Esse amor torna chocante a reação de Jesus à mensagem de Maria e Marta: "Jesus amava Marta, Maria e Lázaro. Ouvindo, portanto, que Lázaro estava doente, ficou mais dois dias onde estava" (Jo 11.5-6). Se olharmos pelos olhos de Maria e Marta nesse momento, veremos Jesus como aquele que tem o poder de curar seu irmão, mas que escolhe não vir quando elas chamam.

Os dias passam, e Jesus não aparece. Talvez as irmãs tenham pensado que ele não estava vindo porque correria perigo. Betânia ficava a apenas três quilômetros de Jerusalém, e quando Jesus finalmente propôs a seus discípulos que voltassem ao sul, os discípulos responderam: "Rabi, apenas alguns dias atrás o povo da Judeia tentou apedrejá-lo. Ainda assim, o senhor vai voltar para lá?" (Jo 11.8). Mas a decisão de Jesus de não ir quando recebeu a mensagem de Maria e Marta não teve nada a ver com o risco para sua vida. Na verdade, ele adiou a ida para que Deus fosse glorificado (Jo 11.4), e assim os discípulos pudessem crer (Jo 11.14-15).

Quando Jesus finalmente chega a Betânia, Lázaro já está no túmulo há quatro dias. Marta fica sabendo que ele chegou e vai encontrá-lo. Maria, contudo, permanece em casa. Marta

---

[8] O autor de João usa duas palavras em momentos diferentes para descrever o amor de Jesus por ele. Em João 13.23; 21.7,20 temos *agapao*, enquanto em João 20.2 a palavra usada é *phileo*.

DISCIPULADO

diz a Jesus: "Se o Senhor estivesse aqui, meu irmão não teria morrido. Mas sei que, mesmo agora, Deus lhe dará tudo que pedir" (Jo 11.21-22). Essas palavras proclamam uma fé extraordinária. Lázaro está morto e enterrado. Porém mesmo agora ela sabe que o Senhor pode curá-lo. A essa altura, poderíamos esperar que Jesus fosse com ela diretamente à sepultura de Lázaro. Em vez disso, ele aproveita para ensinar a essa mulher em lágrimas, a quem ele ama: "Seu irmão vai ressuscitar" (Jo 11.23). Muitos judeus do primeiro século acreditavam que, no dia do juízo final, Deus os ressuscitaria dos mortos. Então Marta responde: "Ele vai ressuscitar quando todos ressuscitarem, no último dia" (Jo 11.24). Mas a ressurreição no final dos tempos não é o que Marta está desejando. Ela havia enviado mensagem a Jesus para que ele pudesse curar Lázaro. Agora ela quer que seu Senhor o traga de volta à vida. Jesus responde com algumas das palavras mais espantosas de toda a Bíblia: "Eu sou a ressurreição e a vida. Quem crê em mim viverá, mesmo depois de morrer. Quem vive e crê em mim jamais morrerá. Você crê nisso, Marta?" (Jo 11.25-26).

Esse é um dos vários momentos nos Evangelhos em que a ideia de que Jesus é *apenas* um bom mestre é destroçada como um pedaço de porcelana barata. Bons mestres não alegam ser a ressurreição e a vida, a própria fonte da vida, aquele sem o qual a vida é morte, e com quem até a morte é vida. Mas isso é o que Jesus alega. Nesse momento com Marta, Jesus alega que a fé nele pode vencer a própria morte. A confiança de Marta em Jesus não é apenas um meio para um fim, para trazer o irmão de volta à vida. É a fonte de sua própria vida também.

Judia fiel como é Marta, ela sem dúvida ouve nas palavras de Jesus um eco das palavras que Deus dirigiu a Moisés muitos

63

séculos antes. Deus chamou Moisés para voltar ao Egito e libertar o povo de Deus. Quando Moisés lhe perguntou qual era seu nome, o Senhor replicou: "Eu Sou o que Sou", e acrescentou: "Diga ao povo de Israel: Eu Sou me enviou a vocês" (Êx 3.14).[9] No Evangelho de João, Jesus evoca esse nome sagrado de Deus diversas vezes. "Eu sou o pão da vida" / "Eu sou o pão vivo" (Jo 6.35,41,48,51); "Eu sou a luz do mundo" (Jo 8.12); "antes mesmo de Abraão nascer, Eu Sou!" (Jo 8.58); "Eu sou a porta das ovelhas" (Jo 10.7,9); "Eu sou o bom pastor" (Jo 10.11, 14); "Eu sou o caminho, a verdade e a vida" (Jo 14.6); "Eu sou a videira verdadeira" (Jo 15.1,5). Quase todas as declarações iniciadas por "Eu sou" de Jesus são feitas diante de grupos. "Eu sou a ressurreição e a vida" é uma de apenas duas exceções. Como veremos no capítulo 3, a outra declaração iniciada por "Eu sou" feita diante de um indivíduo é também dita a uma mulher. Marta antes ficou ressentida com Maria por se sentar aos pés de Jesus com os outros discípulos. Agora, em um espantoso ato de graça, Jesus dirige algumas de suas palavras mais transformadoras do mundo a ela apenas.

Antes de ir para Betânia, Jesus contou a seus discípulos que ficava feliz por eles pelo fato de que Lázaro havia morrido, pois assim eles poderiam crer (Jo 11.14-15). Porém nesse momento ele pergunta a uma discípula sobre sua estrondosa alegação: "'Você crê nisso, Marta?'. 'Sim, Senhor', respondeu

---

[9] O nome divino, transliterado como Javé, é uma forma do verbo "ser" em hebraico, usada na expressão "Eu sou". Para os judeus, o nome do Deus da aliança era tão sagrado que não devia ser lido em voz alta. Em vez disso, eles o substituíam por *Adonai*, que quer dizer "meu Senhor". A tradução grega do Antigo Testamento substituiu Javé pela palavra grega *kurios*, "Senhor". Seguindo essa prática, a maioria das traduções da Bíblia usa "Senhor" em versalete.

ela. 'Eu creio que o senhor é o Cristo, o Filho de Deus, aquele que veio ao mundo da parte de Deus'" (Jo 11.26-27).

Em momentos de dificuldade, muitas vezes murmurei a declaração de Jesus e me fiz essa pergunta. Alguns anos atrás, em um período de intenso turbilhão em meus relacionamentos — quando senti o chão psicológico ceder embaixo dos pés —, fiquei em meu quarto me apoiando na penteadeira e pratiquei: "Eu sou a ressurreição e a vida". "Você crê nisso?" Pois veja, se isso for verdade, nada que possa acontecer em minha vida neste mundo poderá me tirar a vida eterna. E, se for mentira, nada em minha vida neste mundo importará, de qualquer forma. Ou tudo termina na morte, ou Jesus é a ressurreição e a vida.

Como vemos Jesus pelos olhos de Marta nesse momento? Nós o vemos como aquele que pode trazer a vida de volta a seu irmão, como ela deseja. Mas também como aquele que é, ele mesmo, a ressurreição e a vida. Assim como Deus se revelou a Moisés como aquele que simplesmente é, de igual modo Jesus se revela a Marta como aquele que encarna a vida em si mesmo. Confiar em Jesus é viver. Não é que Jesus não seja um bom mestre. Quando Marta vai chamar Maria, ela diz: "O Mestre está aqui e quer ver você" (Jo 11.28). Jesus é um bom mestre tão certamente quanto o sol é uma fonte de luz. Mas ele não é *apenas* isso. Assim como nosso planeta inteiro gira em torno do sol, nós devemos orientar nossa vida em torno do Filho de Deus, o Cristo, que veio ao mundo para nos chamar da morte à vida.

Jesus chora

Seria fácil concluir das palavras de Jesus que deveríamos desistir deste mundo e simplesmente parar de nos importar. Se

O JESUS QUE AS MULHERES VIRAM

Jesus é a ressurreição e a vida, vamos nos afastar de tudo o que nos machuca e nos desligar do sofrimento. Se, como ensina o budismo, a raiz do sofrimento é o apego, talvez possamos arrancar a raiz e nos livrar do dente apodrecido da dor. Mas João não nos deixa fazer essa inferência. Quando Maria é informada de que o Mestre está chamando por ela, ergue-se rapidamente e vai até ele (Jo 11.29). Jesus ainda não havia entrado no povoado. Marta, ansiosa, o havia encontrado no caminho. Quando Maria chega, ela cai aos pés dele e repete as palavras da irmã: "Se o Senhor estivesse aqui, meu irmão não teria morrido" (Jo 11.32). Como Jesus responde a essas palavras de lamentação? Quando Jesus vê Maria chorando, e os outros judeus que haviam vindo com ela chorando também, ele sente "profunda indignação e grande angústia" (Jo 11.33). Pergunta onde o corpo de Lázaro foi colocado. E então chora (Jo 11.35).

Como vemos Jesus pelos olhos vermelhos de Maria nesse momento? Nós o vemos como aquele que poderia ter salvado o irmão dela, mas que, em vez disso, o deixou morrer — e também como aquele que chora com ela em sua aflição. Alguns dos que observavam a cena viram as lágrimas no rosto de Jesus e disseram: "Vejam como ele o amava!" (Jo 11.36). Mas outros tinham uma pergunta racional: "Este homem curou um cego. Não poderia ter impedido que Lázaro morresse?" (Jo 11.37). A resposta a essa pergunta é sim, e Maria sabe disso. Mas, longe de ser insensível à dor de Maria, Jesus a compartilha.

Se você já é cristão há algum tempo, imagino que consiga se lembrar de vezes em que clamou a Deus por ajuda e se sentiu como se não tivesse recebido resposta. Você orou pela cura, e ela não veio. Pediu que Jesus intercedesse, e se sentiu sozinho. Mas quando, finalmente, Jesus vem a Maria, ele derrama lágrimas com ela. Ele não havia ficado longe porque não se importasse. Havia ficado longe porque *se importava*. O melhor que ele poderia dar àquelas irmãs, a quem ele amava profundamente, era não responder de imediato a suas orações, mas sim relevar a si mesmo.

Quando Jesus vai ao túmulo de Lázaro, ele fica extremamente comovido de novo, e pede que afastem a pedra que cobria a entrada para o túmulo. Marta proclama a verdade desagradável: "Senhor, ele está morto há quatro dias. O mau cheiro será terrível" (Jo 11.39). Lázaro está morto, enterrado e apodrecendo no túmulo. Jesus, porém, diz: "Eu não lhe disse que, se você cresse, veria a glória de Deus?" (Jo 11.40). Então eles afastam a pedra. Jesus ora — para o bem daqueles que estavam assistindo ao desenrolar da cena — e então exclama: "Lázaro, venha para fora!" (Jo 11.41-43). E assim, João escreve, "o morto saiu, com as mãos e os pés presos com faixas e o rosto envolto num pano" (Jo 11.44).

Como vemos Jesus pelos olhos de Maria e Marta quando elas observam o irmão sair do túmulo? Nós o vemos como aquele que chora conosco em nossa aflição, mas também como aquele que pode chamar um homem morto de volta à vida. O poder de Jesus de ressuscitar Lázaro dá apoio à espantosa alegação de Jesus a Marta de que ele é verdadeiramente a ressurreição e a vida. Muitos dos judeus que testemunharam isso creram em Jesus também (Jo 11.45). Mas alguns foram aos fariseus e contaram-lhes o que ele havia feito (Jo 11.46). Isso desencadeou uma reunião dos principais sacerdotes e fariseus para tramar a morte de Jesus. Entretanto, em vez de essa ser uma sucessão de eventos desastrosa, é simplesmente o passo seguinte no plano de Jesus: aquele que é a ressurreição e a vida veio para morrer.

Ungido para o enterro

Como vimos antes, quando João apresenta Maria e Marta, ele escreve: "Foi Maria, a irmã de Lázaro, que mais tarde derramou perfume caro nos pés do Senhor e os enxugou com os cabelos" (Jo 11.2). Fica claro que se trata de um episódio bem conhecido. Mas a versão de João da história é notavelmente diferente da de Mateus e de Marcos. Marcos narra assim a primeira parte da história:

> Enquanto isso, Jesus estava em Betânia, na casa de Simão, o leproso. Quando ele estava à mesa, uma mulher entrou com um frasco de alabastro contendo um perfume caro, feito de essência de nardo. Ela quebrou o frasco e derramou o perfume sobre a cabeça dele.
>
> Marcos 14.3

A exemplo de Marcos e Mateus, João situa a cena em Betânia. Mas, enquanto Marcos e Mateus citam o nome do anfitrião como "Simão, o leproso", João não menciona o anfitrião:

> Seis dias antes de começar a Páscoa, Jesus chegou a Betânia, onde morava Lázaro, o homem que ele havia ressuscitado dos mortos. Prepararam um jantar em homenagem a Jesus; Marta servia, e Lázaro estava à mesa com ele. Então Maria pegou um frasco de perfume caro feito de essência de óleo aromático, ungiu com ele os pés de Jesus e os enxugou com os cabelos. A casa se encheu com a fragrância do perfume.
>
> João 12.1-3

Diferentemente de Mateus e Marcos, que mantêm o anonimato dela, João identifica a mulher que ungiu Jesus como Maria de Betânia. Em vez de dizer que ela derramou o óleo sobre a cabeça dele, João diz que ela ungiu os pés de Jesus.

DISCIPULADO

Examinar as diferenças entre esses relatos nos ajudará a entender como os autores dos Evangelhos selecionaram e organizaram seu material — como cineastas diferentes fazendo cada um uma edição "de autor", característica.

Primeiro, o fato de que Maria, Marta e Lázaro estão todos presentes na versão de João — e até a sempre ativa Marta está servindo — não necessariamente significa que eles são os anfitriões do jantar (Jo 12.2). Na verdade, o fato de Lázaro estar entre aqueles reclinados à mesa com Jesus sugere que ele *não* seja o dono da casa.[10] O anfitrião, que Marcos chama de "Simão, o leproso", provavelmente experimentou o poder de cura de Jesus, pois alguém que tivesse lepra naquele momento não poderia ser anfitrião de um jantar. É de se presumir que vários discípulos de Betânia tivessem se unido para receber o Senhor. Mas como deveríamos entender o fato de que Marcos e Mateus dizem que a mulher ungiu a cabeça de Jesus, enquanto João diz que ela lhe ungiu os pés? Mais uma vez, isso não é necessariamente uma contradição. Na versão de Marcos, Jesus diz que ela "ungiu meu corpo", implicando que ela não tivesse ungido apenas a cabeça (Mc 14.8). Mas, enquanto Marcos e Mateus voltam nossa atenção para a unção da cabeça de Jesus, que evoca a unção de reis no Antigo Testamento, João ressalta a humilde devoção de Maria ao ungir os pés de Jesus e enxugá-los com os cabelos.[11]

Em todos os três relatos dos Evangelhos, a mulher é criticada por suas ações e Jesus a defende firmemente. Marcos escreve:

[10] Ver Craig L. Blomberg, *The Historical Reliability of John's Gospel* (Downers Grove, IL: IVP Academic, 2001), p. 176.
[11] Ver Bauckham, *Beloved Disciple*, p. 188.

Alguns dos que estavam à mesa ficaram indignados. "Por que desperdiçar um perfume tão caro?", perguntaram. "Poderia ter sido vendido por trezentas moedas de prata, e o dinheiro, dado aos pobres!" E repreenderam a mulher severamente.

Jesus, porém, disse: "Deixem-na em paz. Por que a criticam por ter feito algo tão bom para mim? Vocês sempre terão os pobres em seu meio e poderão ajudá-los sempre que desejarem, mas nem sempre terão a mim. Ela fez o que podia e ungiu meu corpo de antemão para o sepultamento. Eu lhes digo a verdade: onde quer que as boas-novas sejam anunciadas pelo mundo, o que esta mulher fez será contado, e dela se lembrarão".

Marcos 14.4-9; ver também Mateus 26.6-13

A extravagância da defesa feita por Jesus está no mesmo nível da extravagância das ações de Maria. Ele diz que ela fez "algo bom", e profetiza que, onde quer que o evangelho seja anunciado pelo mundo, a história será lembrada. Porém, em vez de receber a unção da cabeça como reconhecimento de sua realeza, Jesus a considera uma unção para o enterro. Jesus está destinado à morte. Ele sabe que o caminho para seu reino passa pela cruz.

O Evangelho de João não só identifica a mulher que ungiu Jesus como Maria de Betânia como também identifica seu crítico:

Mas Judas Iscariotes, o discípulo que em breve trairia Jesus, disse: "Este perfume valia trezentas moedas de prata. Deveria ter sido vendido, e o dinheiro, dado aos pobres". Não que ele se importasse com os pobres; na verdade, era ladrão e, como responsável pelo dinheiro dos discípulos, muitas vezes roubava uma parte para si.

Jesus respondeu: "Deixe-a em paz. Ela fez isto como preparação para meu sepultamento. Vocês sempre terão os pobres em seu meio, mas nem sempre terão a mim".

João 12.4-8

DISCIPULADO

A fiel devoção de Maria de Betânia a Jesus é incisivamente contrastada com a traição de Judas. Enquanto Maria gasta seu dinheiro cobrindo Jesus de amor, Judas rouba do ministério de Jesus — dinheiro provavelmente fornecido por discípulos como Joana — e depois recebe dinheiro dos inimigos de Jesus para traí-lo. Maria de Betânia é a discípula que Judas Iscariotes deveria ter sido.

No relato de Marcos, embora nem Maria nem Judas sejam citados pelo nome, o contraste entre Judas e a mulher também é evidenciado. Marcos insere frequentemente uma história entre duas partes de outra para enfatizar uma conexão, e o relato de Marcos da mulher que ungiu Jesus fica encaixado entre a traição de Jesus por Judas — os principais sacerdotes e mestres da lei "procuravam uma oportunidade de prender Jesus em segredo e matá-lo" (Mc 14.1) — e a proposta de Judas de entregar Jesus em troca de dinheiro (Mc 14.10-11). Como Jesus previu, Maria de Betânia é lembrada até hoje pelo que fez. Judas também. De fato, embora João forneça um resumo mais curto da resposta de Jesus, selecionando trechos diferentes do que ele falou, a citação de João do nome de Maria nesse momento cumpre a profecia que Marcos registrou sobre ela ser sempre lembrada por suas ações.

Como vemos Jesus pelos olhos de Maria de Betânia? Nós o vemos como aquele que merece todo o seu amor extravagante, aquele em quem nada pode ser considerado um desperdício. Nós o vemos como aquele que — mais uma vez — a defende das críticas. Nós o vemos como aquele que vê a beleza de suas ações, e que valida seu amor honrando-o (Mc 14.6-9). Maria "sentou-se aos pés de Jesus" na primeira vez que ele foi à casa de Marta em Betânia (Lc 10.39). Ela "caiu a seus pés" e chorou quando ele veio após a morte de Lázaro (Jo 11.32).

O JESUS QUE AS MULHERES VIRAM

Agora, ela despeja perfume nos pés dele e os enxuga com os cabelos (Jo 12.3). Maria de Betânia conhece seu lugar: aos pés de Jesus, onde deve estar uma discípula.

Diferentemente de Maria de Madalena, Joana, Susana e muitas outras mulheres, Maria e Marta de Betânia não viajavam com Jesus. Mas estavam, não obstante, entre seus seguidores mais próximos. Nessas irmãs, vemos duas mulheres a quem Jesus amava. Uma recebeu sua eterna aprovação. A outra recebeu algumas das palavras mais surpreendentes que ele jamais pronunciou. Se Jesus teve discípulas? Sim, ele teve, sem dúvida alguma. E dois mil anos depois, em todos os locais onde os Evangelhos são lidos em todo o mundo, suas histórias são contadas.

– Questões para discussão –

Primeiros passos: Quem você gosta de "seguir", talvez pelas redes sociais, lendo seus livros, assistindo a seus espetáculos ou adquirindo sua arte?

1. Em geral, o que a citação do nome de alguém nos Evangelhos indica a respeito dessa pessoa? Como isso influencia o modo como entendemos as histórias das mulheres que seguiam Jesus e foram citadas pelo nome?
2. Que tipo de mulheres se tornavam discípulas de Jesus?
3. O que sabemos sobre Maria Madalena? Por que ela é uma discípula improvável?
4. Como a inclusão de Joana no Evangelho de Lucas refuta algumas suposições comuns sobre como Jesus encarava suas discípulas?

DISCIPULADO

5. Como as mulheres neste capítulo contribuem para seu entendimento do que significa ser discípulo ou seguidor de Jesus?
6. Você já sofreu pelo fato de Deus não responder a suas orações da forma como você esperava? Como as interações de Jesus com Maria e Marta sobre a morte de Lázaro afetam seu modo de reagir a essa mágoa?
7. Você já sofreu a tentação de negar algo a Jesus? Como a história de Maria despejar um perfume caro sobre Jesus libera você para uma adoração extravagante?
8. De que forma a sua visão de Jesus se tornou mais profunda ao vê-lo pelos olhos dessas mulheres?

Aprofundamento: Leia João 11.1-44.

1. Quantas vezes aparece alguma forma da palavra "morrer" ou "morte" nessa passagem?
2. O que Jesus diz sobre a doença de Lázaro no versículo 4? Em que sentido a declaração de Jesus no versículo 14 parece contraditória? Como os versículos 25 e 44 trazem uma resolução a essa tensão?
3. Por que Jesus deixou Lázaro morrer, segundo os versículos 4-6,15,25-27,40-42? O que esses acontecimentos revelam sobre a natureza de um discípulo de Jesus Cristo?

3
Nutrição

"Odeio comida."

Meu filho de três anos, Lucas, estava passando por uma fase difícil. "Odeio comida" na hora do almoço. "Odeio bebida" quando lhe passávamos sua xícara. E até mesmo, em tom de conspiração, "Odeio pessoas". Porém, ao ouvir que eu havia feito massa para o jantar: "Eu te amo! Vou ficar feliz como um porco na lama!".

Talvez não expressemos nossos sentimentos tão dramaticamente quanto Lucas. Mas creio que, para a maioria de nós, o relacionamento com a comida e a bebida é confuso. Comida boa pode nos trazer alegria, especialmente quando compartilhada com aqueles que amamos. Mas há um lado sombrio. Somos atormentados pela tensão da imagem corporal em um mundo de magreza idealizada para as mulheres e muscularidade livre de gordura para os homens. Recorremos a comida ou bebida em busca de consolo ou para encobrir nossa dor — para nos dar a ilusão de controle ou um meio de escape.

O mundo do Oriente Próximo no primeiro século em que os Evangelhos se passam era muito diferente do mundo do Ocidente do século 21 em que eu vivo. Para a maioria das mulheres de então, a questão mais premente no que se referia a comida e bebida não era "quanto é demais?", mas "há suficiente?". Essa questão ainda é a que preocupa muitas mulheres ao redor do mundo hoje. Mas, quer lutemos com a falta, quer com o excesso, nossa necessidade humana básica por nutrição nos conecta a todas as pessoas em todos os tempos. Neste capítulo, examinaremos quatro conversas que Jesus teve com mulheres e que aludem a comida e bebida. Enquanto Jesus conversa com essas mulheres sobre água, pão e vinho espirituais, nós o vemos pelos olhos delas como aquele de quem vem a verdadeira nutrição. Nós o vemos também como o único que realmente conhece o melhor e o pior de nós, e que nos dá uma identidade que vai além de tudo o que as redes sociais poderiam captar ou de que a idade avançada poderia nos privar.

Da água para o vinho

Meu marido e eu nos casamos duas vezes. Primeiro em junho, em Cambridge, no Reino Unido, e depois em outubro, na cidade de Oklahoma, nos Estados Unidos. Na Inglaterra, casamento são acompanhados de álcool. Tradicionalmente, a família da noiva paga pelo casamento e a família do noivo paga pelo vinho. Porém, em Oklahoma, onde Bryan cresceu, há uma forte tradição entre os cristãos de não beber álcool, então nosso casamento de Oklahoma foi "a seco". Entendo ambas as visões. A Bíblia nos alerta claramente contra a embriaguez, e vidas e famílias inteiras podem ser destruídas pelo álcool.[1] Para muitos, a abstinência é sábia. Mas o primeiro milagre registrado no Evangelho de João não é uma cura ou

---

[1] Por exemplo, em sua epístola para a igreja de Éfeso, o apóstolo Paulo escreve: "Não se embriaguem com vinho, pois ele os levará ao descontrole. Em vez disso, sejam cheios do Espírito" (Ef 5.18).

uma ressurreição. É a história de quando Jesus, em um casamento, transformou água no mais delicioso vinho.

É nessa história que a mãe de Jesus, Maria, é mencionada pela primeira vez em João. Jesus e Maria estão em um casamento em Caná, uma pequena cidade ao norte de Nazaré, e o vinho acabou. Maria vai até o filho e diz: "Eles não têm mais vinho" (Jo 2.3). A resposta de Jesus nos soa estranha: "Mulher, isso não me diz respeito [...]. Minha hora ainda não chegou" (Jo 2.4). Ao se dirigir à mãe como "mulher", Jesus nos parece desrespeitoso. Mas não é. A repercussão não é equivalente, mas, assim como chamar alguém de "homem" ou "menina" para nós pode ser amistoso e informal, chamar alguém de "mulher" na cultura judaica do primeiro século não era depreciativo. Uma tradução mais literal do que ele diz a seguir seria "e o que temos com isso?". Nem Jesus nem sua mãe são anfitriões do casamento, então o fato de o vinho acabar não é problema deles. Mas Jesus acrescenta uma estranha observação: "Minha hora ainda não chegou". No Evangelho de João, a "hora" de Jesus indica sua crucificação.[2] Talvez Jesus queira dizer que revelar seu poder agora causaria o tipo de problema que poderia levar a seu assassinato, e não era ainda o momento para isso. Mas, em vez de responder a Jesus, Maria apenas diz aos servos: "Façam tudo que ele mandar" (Jo 2.5). Ela não

---

[2] Em João 7.30 e 8.20, Jesus escapou da prisão "porque ainda não havia chegado sua hora", enquanto em João 12.23, prevendo a crucificação, Jesus declara que "chegou a hora de o Filho do Homem ser glorificado", e acrescenta: "Agora minha alma está angustiada. Acaso devo orar 'Pai, salva-me desta hora'? Mas foi exatamente por esse motivo que eu vim!" (Jo 12.27). Ver também "Jesus sabia que havia chegado sua hora de deixar este mundo e voltar para o Pai" (Jo 13.1) e "Pai, chegou a hora. Glorifica teu Filho, para que ele te glorifique" (Jo 17.1).

sabe o que Jesus irá fazer, mas sabe que a reação correta é confiar totalmente na orientação dele.

Jesus diz aos servos que encham com água seis potes de pedra com capacidade entre 80 e 120 litros. Quando estão cheios até a borda, Jesus diz: "Agora tirem um pouco e levem ao mestre de cerimônias" (Jo 2.8). Depois de provar o líquido, o mestre de cerimônias chama o noivo e diz: "O anfitrião sempre serve o melhor vinho primeiro. Depois, quando todos já beberam bastante, serve o vinho de menor qualidade. Mas você guardou o melhor vinho até agora!" (Jo 2.10). O noivo deveria ser o responsável por fornecer o vinho para o casamento. Mas Jesus assume o papel do noivo e fornece não apenas *mais* vinho, mas um vinho *melhor* do que o que os convidados haviam recebido no início. Essa pista da identidade de Jesus é desenvolvida mais a fundo no capítulo seguinte de João, quando João Batista diz sobre Jesus: "É o noivo que se casa com a noiva; o amigo do noivo simplesmente se alegra de estar ao lado dele e ouvir seus votos. Portanto, muito me alegro com o destaque dele" (Jo 3.29).[3] O Antigo Testamento retrata Deus como um marido amoroso e fiel para Israel, sua esposa muitas vezes infiel.[4] No Novo Testamento, Jesus assume o papel do Noivo.

O milagre da transformação de água em vinho por Jesus indica tanto sua identidade como o Noivo quanto a alegre provisão de Deus para seu povo. A Bíblia promete um banquete futuro de boa comida e vinho excelente. Isaías, por exemplo, declara:

---

[3] Ver também, em Marcos, quando os fariseus perguntam a Jesus por que seus discípulos não jejuam: "Por acaso os convidados de um casamento jejuam enquanto festejam com o noivo?" (Mc 2.19).

[4] Ver, por exemplo, Isaías 54.5; Jeremias 2.2; 3.1; Oseias 2; Ezequiel 16.

NUTRIÇÃO

Em Jerusalém, o SENHOR dos Exércitos oferecerá um grande
banquete
para todos os povos do mundo.
Será um banquete delicioso,
com vinho puro e envelhecido e carne da melhor qualidade.

Isaías 25.6[5]

Como acontece com tantas outras coisas que Deus fez, comida e bebida assim tão refinadas apontam para o seu pródigo amor por nós. Quando Jesus fornece o melhor vinho para o casamento em Caná, ele mostra que é a fonte desse banquete futuro: o banquete em que toda a nossa sede será saciada e nosso desejo de riso, união e alegria será realizado.

Sua mãe, Maria, sabe o que ele pode fazer, então ela o chama. Mas a conversa seguinte de Jesus com uma mulher no Evangelho de João é com uma completa estranha.

Água viva

Poderíamos esperar que uma conversa com a mãe fosse o diálogo mais longo de Jesus com uma mulher. Afinal, ela seria a mulher mais adequada com quem um rabi solteiro poderia conversar — especialmente em particular. Mas, em vez disso, a conversa particular mais longa de Jesus registrada nos Evangelhos é com uma mulher a quem os homens judeus teriam evitado a todo custo. Essa mulher é a primeira pessoa no Evangelho de João a quem Jesus se revela explicitamente

[5] Ver também posteriormente o convite do Senhor em Isaías: "Alguém tem sede? Venha e beba, mesmo que não tenha dinheiro! Venha, beba vinho ou leite; é tudo de graça!" (Is 55.1).

79

como o Cristo, e ela é a última pessoa em cuja companhia um rabi respeitável deveria ficar a sós.

Jesus e seus discípulos estão a caminho de volta da Judeia (no sul) para a Galileia (no norte) quando param junto a uma aldeia samaritana. A Samaria ficava bem a meio caminho entre a Judeia e a Galileia, mas os judeus frequentemente faziam uma rota tortuosa para evitá-la por causa da hostilidade entre judeus e samaritanos. Depois que os assírios conquistaram o reino do norte de Israel em 722 a.C., a maioria dos habitantes israelitas foi deportada. Alguns permaneceram e contraíram matrimônio com estrangeiros transferidos para lá de outras partes do Império Assírio (2Rs 17.24-41). Esses casamentos mistos produziram os samaritanos. Os judeus encaravam os samaritanos como contaminados tanto racial quanto religiosamente. Como os judeus, eles adoravam o Senhor, mas reconheciam apenas os cinco primeiros livros da Bíblia, e enquanto os judeus adoravam no templo de Jerusalém no monte Sião, os samaritanos construíram um outro templo no monte Gerizim. Os judeus destruíram esse templo samaritano em 128 a.C., cimentando a inimizade entre os dois grupos. Entretanto, em vez de conduzir seus discípulos para longe do território samaritano, Jesus os levou diretamente para ele.

É meio-dia e, cansado da jornada, Jesus se senta junto ao poço de Jacó para descansar. Tirar água era tradicionalmente trabalho das mulheres, que, para evitar o calor escaldante, chegavam de manhã cedo ou no fim da tarde. Mas quando Jesus se senta junto ao poço ao meio-dia, uma mulher samaritana se aproxima para tirar água, e Jesus pede que lhe dê de beber (Jo 4.7). João eleva a tensão contando-nos que os discípulos haviam ido ao povoado comprar comida (Jo 4.8). Jesus está,

NUTRIÇÃO

aparentemente, sozinho. Ele está cruzando a barreira de segregação meramente por falar com essa mulher, quanto mais pedindo a ela que compartilhe com ele sua água. "Você é judeu, e eu sou uma mulher samaritana", diz ela a Jesus. "Como é que me pede água para beber?" (Jo 4.9). Para o caso de seus leitores não estarem familiarizados com a gravidade daquele tabu, João acrescenta: "pois os judeus se recusam a ter qualquer contato com os samaritanos" (Jo 4.9). Quando olhamos pelos olhos dessa mulher samaritana nesse momento, vemos Jesus como um homem judeu desprezando as barreiras étnicas e sociais de sua época. Talvez ela se pergunte o que ele *realmente* quer. Mas Jesus não está lá por algo que deseje pegar. Ele está lá por algo que deseja dar.

"Se ao menos você soubesse que presente Deus tem para você e com quem está falando, você me pediria e eu lhe daria água viva", responde Jesus (Jo 4.10). A mulher acha que o que é chocante em Jesus lhe pedir de beber é que ele está rompendo imensas barreiras sociais. Mas Jesus diz que o que é *realmente* chocante é que ele esteja pedindo algo para beber a ela, e não o contrário. "Água viva" poderia significar apenas água límpida da fonte. Mas a linguagem usada também carrega significado espiritual. Por meio do profeta Jeremias, Deus lamentara: "Pois meu povo cometeu duas maldades: Abandonaram a mim, a fonte de água viva, e cavaram para si cisternas rachadas, que não podem reter água" (Jr 2.13). Mais tarde, Jeremias declara: "abandonaram o SENHOR, a fonte de água viva" (Jr 17.13). Sentado junto a um poço literal, Jesus faz um comentário teológico: ele é o Senhor, a fonte de água viva.

A samaritana não entende o que Jesus quer dizer. Mas percebe, ainda assim, que ele está fazendo uma alegação ousada:

Mas você não tem corda nem balde, e o poço é muito fundo. De onde tiraria essa água viva? Além do mais, você se considera mais importante que nosso antepassado Jacó, que nos deu este poço? Como pode oferecer água melhor que esta que Jacó, seus filhos e seus animais bebiam?

João 4.11-12

Tanto os judeus quanto os samaritanos se consideravam os verdadeiros portadores da chama transmitida por Abraão a Isaque e Jacó, o pai das doze tribos de Israel. Afirmar ser maior do que Jacó seria vangloriar-se ao extremo. Da perspectiva dessa mulher, a resposta a sua pergunta precisava ser não. Com certeza esse rabi judeu não acha que é maior do que Jacó! Porém, em vez de responder à pergunta, Jesus eleva a aposta:

Quem bebe desta água logo terá sede outra vez, mas quem bebe da água que eu dou nunca mais terá sede. Ela se torna uma fonte que brota dentro dele e lhe dá a vida eterna.

João 4.13-14

Jesus aqui vai ainda mais fundo na metáfora de Jeremias: ele é a fonte de água viva, e qualquer um que o receba se tornará, por sua vez, uma fonte. Jesus fará o mesmo comentário mais tarde no Evangelho de João. Diante do templo, ele exclamará: "Quem tem sede, venha a mim e beba! Pois as Escrituras declaram: 'Rios de água viva brotarão do interior de quem crer em mim'" (Jo 7.37-38). Porém antes de fazer essa declaração em público a seus conterrâneos judeus no local mais esperado, Jesus o declara em particular a essa mulher estrangeira no local menos esperado.

A samaritana responde com uma mistura de incompreensão e esperança: "Por favor, senhor, dê-me dessa água! Assim

NUTRIÇÃO

eu nunca mais terei sede nem precisarei vir aqui para tirar água" (Jo 4.15). Ela deseja o que Jesus diz possuir. Mas não consegue entender o que ele está realmente lhe oferecendo. Muitas vezes eu me vejo nesse lugar: vendo Jesus como um meio para um fim, suplicando-lhe por coisas que desejo — ou mesmo coisas de que necessito. Talvez você consiga se identificar com isso. Talvez Jesus funcione em sua vida como um Papai Noel etéreo: alguém a quem se pode enviar uma lista de desejos e que traz um toque de magia às margens de sua vida cotidiana. Mas, embora Jesus seja a fonte de tudo o que temos de bom e goste de escutar nossas orações, se conhecêssemos a dádiva de Deus, e com quem estamos falando, nós lhe pediríamos, em primeiro lugar e acima de tudo, que ele nos desse ele mesmo.

O gesto seguinte de Jesus soa bem diferente aos ouvidos antigos e modernos. "Vá buscar seu marido", ele diz (Jo 4.16). Da perspectiva do primeiro século, esse pedido está atrasado. Essa conversa a dois seria totalmente inapropriada. Muito melhor que o marido estivesse lá. Da nossa perspectiva, pode soar misógino — como se Jesus não quisesse conversar com ela por ela mesma. Mas, à medida que a conversa se desenvolve, descobrimos que ambas as interpretações das palavras de Jesus são erradas.

A mulher replica: "Não tenho marido" (Jo 4.17), e Jesus mostra suas próprias cartas revelando as dela:

> É verdade. Você não tem marido, pois teve cinco maridos e não é casada com o homem com quem vive agora. Certamente você disse a verdade.
>
> João 4.17-18

Por que Jesus diz isso? Estará tentando humilhá-la? Não. Ele está lhe mostrando que conhecia a história dela já quando lhe pediu de beber. Essa mulher talvez seja moralmente desonrada, passada de um homem a outro — àquela altura, na cultura dela, não muito melhor do que uma prostituta. Ou talvez tenha enviuvado várias vezes e agora esteja vivendo em um casamento não legalizado. Não conhecemos todos os detalhes. Mas Jesus conhece. E ele não foge dessa estrangeira de vida sexual duvidosa. Ao contrário, ele usa o que sabe da identidade dela para revelar mais sobre a dele.

Como vemos Jesus pelos olhos dessa mulher? Ela comenta: "O senhor deve ser profeta" (Jo 4.19). Essa samaritana entende que Jesus é um profeta porque ele vê toda a história dela. Essa estrangeira não é ignorada pelo Filho de Deus. Jesus conhece a história de vida dela, assim como conhece a sua e a minha.

Percebendo que está conversando com um profeta, a samaritana levanta uma questão teológica: "Então diga-me: por que os judeus insistem que Jerusalém é o único lugar de adoração, enquanto nós, os samaritanos, afirmamos que é aqui, no monte Gerizim, onde nossos antepassados adoraram?" (Jo 4.20). O monte Gerizim, ao qual ela se refere, provavelmente era visível do poço de Jacó. Mas, em vez de defender que Jerusalém seria o local correto para adoração, Jesus replica:

> Creia em mim, mulher, está chegando a hora em que já não importará se você adora o Pai neste monte ou em Jerusalém. Vocês, samaritanos, sabem muito pouco a respeito daquele a quem adoram. Nós adoramos com conhecimento, pois a salvação vem por meio dos judeus. Mas está chegando a hora, e de fato já chegou, em que os verdadeiros adoradores adorarão o Pai em espírito e em verdade. O Pai procura pessoas que o adorem

NUTRIÇÃO

desse modo. Pois Deus é Espírito, e é necessário que seus adoradores o adorem em espírito e em verdade.

João 4.21-24

No casamento em Caná, Jesus disse à mãe que sua hora ainda não havia chegado (Jo 2.4). Agora ele fala a essa samaritana que "está chegando a hora" em que os verdadeiros adoradores de Deus irão adorá-lo não em templos, mas em espírito e em verdade. De fato, ele diz, a hora já chegou. A samaritana replica: "Eu sei que o Messias (aquele que é chamado Cristo) virá. Quando vier, ele nos explicará tudo" (Jo 4.25). Se traduzirmos literalmente, Jesus responde: "Eu sou, (aquele) que lhe fala" (Jo 4.26).

Essa tradução palavra a palavra soa estranha em português, então geralmente é adaptada em nossas Bíblias. Mas, como observa o estudioso do Novo Testamento Craig Evans, a declaração de Jesus é "enfática e incomum" também no original grego.[6] Suavizá-la na tradução mascara o fato de que essa é a primeira das declarações iniciadas por "Eu sou" de Jesus. Como vimos no capítulo anterior, quase todas as outras declarações iniciadas por "Eu sou" em João são pronunciadas diante de grupos. As duas exceções são as palavras de Jesus a Marta — "Eu sou a ressurreição e a vida" (Jo 11.25) — e sua resposta a essa samaritana. Essa é a primeira vez em João que Jesus declara explicitamente que é o Messias. E, ao fazê-lo, Jesus faz uma alegação ainda mais extraordinária.

Cada uma das declarações iniciadas por "Eu sou" de Jesus nos dá uma nova percepção de quem ele é. No início, suas palavras

---

[6] Ver Craig A. Evans, *The Bible Knowledge Background Commentary: John's Gospel, Hebrews–Revelation* (Colorado Springs: David C. Cook, 2005).

para a samaritana parecem ser uma exceção. No entanto, se analisarmos com mais atenção, Jesus está nos fornecendo mais informações sobre sua identidade quando diz à samaritana: "Eu sou, (aquele) que lhe fala". Jesus alega ser o Messias e o verdadeiro Deus da aliança. Mas ele é também aquele que está falando com essa mulher estrangeira, de vida sexual duvidosa. Ele poderia ter dito simplesmente "Eu sou ele!". Porém, quando vemos Jesus pelos olhos dessa mulher, nós o vemos como o Rei há muito prometido e Deus eterno, que escolhe conversar com ela. Por mais insignificantes que nos consideremos, por mais marginalizados que nos sintamos, independentemente de quantas vezes fomos abandonados e excluídos, aqui vemos Jesus como o Deus que gosta de dedicar seu tempo a nós.

Exatamente quando Jesus revela à mulher quem ele é, os discípulos voltam. Eles ficam surpresos de encontrá-lo conversando com ela, mas não ousam lhe perguntar o motivo para isso (Jo 4.27). Então João nos dá este detalhe belamente evocativo: "A mulher deixou sua vasilha de água junto ao poço e correu de volta para o povoado, dizendo a todos: 'Venham ver um homem que me disse tudo que eu já fiz na vida! Será que não é ele o Cristo?'" (Jo 4.28-29). Quando Jesus chamou Simão Pedro e André, eles largaram suas redes e o seguiram (Mt 4.18-20). Quando Jesus chamou Tiago e João, eles deixaram para trás o barco e o pai e o seguiram (Mt 4.21-22). Essa mulher deixa para trás a vasilha de água para ir e contar às pessoas do povoado quem é Jesus. Qual é a evidência que ela possui da identidade de Jesus como o Rei há muito prometido por Deus? Que ele sabia tudo o que ela havia feito na vida.

Todos desejamos ser profundamente conhecidos e amados. Com frequência, porém, sentimos a necessidade de gerenciar o quanto somos conhecidos, porque se as pessoas realmente souberem a verdade sobre nós — nossos pensamentos mais sombrios, nossa inveja, nossas fraudes, nossa luxúria, nossos relacionamentos fracassados —, tememos não ser amados. Em Jesus, essa mulher encontrou um homem que a conhecia até o âmago. Ele podia tê-la ignorado no poço ou se afastado. Em vez disso, atendeu a suas necessidades mais profundas e contou-lhe quem é.

O conhecimento de Jesus sobre essa mulher se tornou central para a mensagem dela sobre ele. João nos conta:

> Muitos samaritanos do povoado creram em Jesus por causa daquilo que a mulher relatou: "Ele me disse tudo que eu já fiz!". Quando saíram para vê-lo, insistiram que ficasse no povoado. Jesus permaneceu ali dois dias, e muitos outros ouviram sua palavra e creram. Então disseram à mulher: "Agora cremos, não apenas por causa do que você nos contou, mas porque nós mesmos o ouvimos. Agora sabemos que ele é, de fato, o Salvador do mundo".
>
> João 4.39-42

Por meio do relato dessa mulher sobre Jesus, pessoas que haviam sido criadas para odiar os judeus foram escutar aquele rabi judeu e pediram-lhe que ficasse com eles. Quando ele lhes falou como havia falado com a mulher junto ao poço, eles o viram como verdadeiramente é: o Salvador do mundo, aquele cuja água viva está disponível a todos os que têm sede e vêm a ele.

O pão das crianças

Em Marcos e Mateus, outra conversa com uma mulher estrangeira enfatiza o âmbito universal da missão de Jesus. Essa cena se passa em uma região de gentios ao norte da Galileia. Seu contexto imediato é um confronto de Jesus com fariseus que reclamavam que os discípulos de Jesus não lavavam as mãos ritualmente antes de comer. Jesus os chama de hipócritas e explica que não é o que entra pela boca que contamina, mas o que sai dela (Mt 15.7-20; Mc 7.6-23). Então Jesus se levanta e parte para a região gentia de Tiro e Sidom (Mt 15.21; Mc 7.24).

Quando Jesus chega, quer permanecer oculto por algum tempo. No entanto Marcos nos conta que "de imediato, uma mulher que tinha ouvido falar dele veio e caiu a seus pés. A filha dela estava possuída por um espírito impuro" (Mc 7.25). Marcos enfatiza a nacionalidade dessa mulher, explicando que ela era "grega, nascida na região da Fenícia, na Síria" (Mc 7.26). Tiro e Sidom ficavam na Fenícia, então essa é uma forma de comunicar que ela é uma moradora daquela região, e claramente não judia. Mateus faz a mesma observação valendo-se de outra palavra, apresentando-a como "uma mulher cananeia que ali morava" (Mt 15.22). Os cananeus eram os habitantes originais da terra que Deus prometera aos israelitas. Eles não existiam mais como um povo distinto, mas, ao chamar essa mulher de cananeia, Mateus enfatiza o fato de ela ser uma estrangeira étnica e religiosamente. Essa mulher é totalmente marginalizada. E, apesar disso, percebemos que ela compreende melhor a identidade de Jesus do que os líderes judeus com quem Jesus acabou de se encontrar.

No relato de Mateus, a mulher se aproximou de Jesus e gritou: "Senhor, Filho de Davi, tenha misericórdia de mim! Minha filha está possuída por um demônio que a atormenta terrivelmente" (Mt 15.22). Porém, exatamente como quando Maria e Marta pediram-lhe ajuda, Jesus não respondeu de

NUTRIÇÃO

imediato. A estrangeira não desanimou. Continuou suplicando, tanto que os discípulos de Jesus lhe pediram: "Mande-a embora; ela não para de gritar atrás de nós" (Mt 15.22-23). Mas, em vez de atender ao pedido deles, Jesus finalmente respondeu à mulher: "Fui enviado para ajudar apenas as ovelhas perdidas do povo de Israel" (Mt 15.24). Jesus usou essa linguagem anteriormente em Mateus, quando enviou os doze apóstolos para pregar e curar com a instrução: "Não vão aos gentios nem aos samaritanos; vão, antes, às ovelhas perdidas do povo de Israel" (Mt 10.5-6). Os judeus deveriam receber a mensagem de salvação primeiro. Mas a mulher não se deixa dissuadir. Ela se aproxima e se ajoelha diante de Jesus, dizendo simplesmente: "Senhor, ajude-me!" (Mt 15.25). Quando meu filho de três anos, Lucas, não consegue obter minha atenção, ele às vezes se aproxima, agarra meu rosto e me pede algo com o rosto colado ao meu. Essa mulher está se ajoelhando diante de Jesus, mas o efeito é o mesmo.

A resposta de Jesus soa chocante para nós: "Não é certo tirar comida das crianças e jogá-la aos cachorros" (Mt 15.26). No Antigo Testamento, os israelitas costumavam ser chamados de filhos de Deus. Por sua vez, os judeus do tempo de Jesus às vezes se referiam aos gentios como cachorros. Os discípulos judeus de Jesus talvez tenham até mesmo assentido com a cabeça enquanto Jesus falava. Mas, em vez de recuar diante do insulto, a mulher reconstrói a metáfora de Jesus: "Senhor, é verdade. No entanto, até os cachorros comem as migalhas que caem da mesa de seus donos" (Mt 15.27). Jesus acabara de conversar com os fariseus, que estavam tentando ensinar a Jesus uma lição sobre como seus discípulos deveriam comer. Ele os chamara de "hipócritas" e "cegos conduzindo cegos" (Mt 15.7,14), gente sem a menor ideia do que está falando.

Mas essa mulher entende o que os fariseus não conseguem entender. Ela sabe que não tem direito a sentar-se à mesa de Jesus, e são precisamente aqueles que sabem que não têm direito que Jesus acolhe. Ele replica: "Mulher, sua fé é grande. Seu pedido será atendido". E a filha dela é curada no mesmo instante (Mt 15.28).

Alguns comentaristas sugerem que essa mulher gentia fez com que Jesus mudasse de ideia. Mas a inclusão de gentios por parte de Jesus já havia sido realizada antes em Mateus pela sua interação com um centurião romano. O centurião desejava que Jesus curasse seu servo, que estava sofrendo terrivelmente, mas sabia que não era digno de que Jesus entrasse em sua casa. A humildade e confiança do homem impressionaram tanto Jesus que ele disse a seus discípulos:

> Eu lhes digo a verdade: jamais vi fé como esta em Israel! E também lhes digo: muitos virão de toda parte, do leste e do oeste, e se sentarão com Abraão, Isaque e Jacó no banquete do reino dos céus. Mas muitos para os quais o reino foi preparado serão lançados fora, na escuridão, onde haverá choro e ranger de dentes.
>
> Mateus 8.10-12

Jesus reconhece que seus conterrâneos judeus são os legítimos herdeiros do reino de Deus: os "filhos do reino" (Mt 12.8, RA) ou, como ele diz a essa mulher siro-fenícia, "as crianças". Mas quaisquer judeus que deem as costas a Jesus serão lançados fora do reino, enquanto quaisquer gentios que o aceitem serão acolhidos. A mulher siro-fenícia não muda a opinião de Jesus. Ao contrário, a interação entre ambos dá a ela a oportunidade de mostrar a ele sua fé humilde.

NUTRIÇÃO

Como vemos Jesus pelos olhos dessa mulher gentia desesperada? Nós o vemos como o Filho de Davi com o poder de curar e salvar da doença espiritual, e como aquele que não merecemos, mas que, não obstante, irá nos mostrar misericórdia. Vemos que até as migalhas que caem da mesa de Jesus são o bastante para nós, mas que Jesus irá acolher no banquete eterno todos os que confiam nele. A mulher siro-fenícia se ajoelha diante de Jesus e faz um pedido por sua filha. A próxima mulher a fazer isso em Mateus é não apenas judia, como também a mãe de dois dos discípulos mais próximos de Jesus. Ela teria motivos razoáveis para esperar que Jesus a escutasse. Mas, à medida que a cena se desenvolve, vemos um resultado bem diferente.

Cálice amargo

Quando Jesus chama Tiago e João para segui-lo, eles estão em um barco junto ao pai, Zebedeu, consertando suas redes. Mas, ao chamado de Jesus, eles imediatamente seguem Jesus, "deixando para trás o barco e o pai" (Mt 4.22). Os irmãos são identificados em todos os quatro Evangelhos como "os filhos de Zebedeu". Nenhuma menção é feita a sua mãe até essa altura. No entanto, depois que Jesus prevê pela terceira vez sua crucificação e ressurreição, Mateus escreve: "Então a mãe dos filhos de Zebedeu veio a Jesus com seus filhos. Ela se ajoelhou diante dele a fim de lhe pedir um favor" (Mt 20.20). As primeiras palavras dela registradas mostram que, como os apóstolos de Jesus, ela não entendeu o que é o reino de Jesus. Jesus lhe pergunta: "O que você quer?", ao que ela responde: "Por favor, permita que, no seu reino, meus dois filhos se sentem em lugares de honra ao seu lado, um à sua direita e outro à sua esquerda" (Mt 20.21). Quando Marcos relata essa história, ele concentra a atenção em Tiago e João (Mc 10.35-40). Fica claro que tanto a mãe quanto os filhos estão unidos em seu pedido. Mateus, contudo, destaca o papel da mãe.

Como vemos Jesus pelos olhos da mãe dos filhos de Zebedeu? Vemos sua fé em que Jesus é o Rei prometido por Deus e aquele que pode conceder privilégio e prestígio aos seguidores mais fiéis. Se você é como eu, talvez às vezes tenha encarado Jesus dessa forma. Ajoelhou-se diante dele não em adoração, mas para lhe pedir que realizasse seu desejo de sucesso. Talvez essa mulher tenha raciocinado que não estava sendo egoísta. Afinal, não estava querendo algo *para ela mesma*, só para os filhos. Mas todos os pais sabem quão fácil pode ser viver nossos próprios sonhos por meio dos filhos e dizer a nós mesmos que isso não é egoísmo.

Jesus responde ao pedido dessa mãe: "Vocês não sabem o que estão pedindo! São capazes de beber do cálice que estou prestes a beber?" (Mt 20.22). Jesus fala no plural, provavelmente dirigindo-se a todos os três, mas são Tiago e João que respondem à pergunta: "Somos!" (Mt 20.22). Eles não entendem, tanto quanto sua mãe não entende. Essa mulher acha que está assegurando prestígio para os filhos. Mas Jesus diz que ela está lhe pedindo sofrimento.

A próxima menção aos filhos de Zebedeu em Mateus se dá na noite em que Jesus é traído. Ele vai com os discípulos a um local chamado Getsêmani e diz a eles: "Sentem-se aqui enquanto vou ali orar" (Mt 26.36). Mas então ele leva consigo "Pedro e os dois filhos de Zebedeu" (Mt 26.37). Ele lhes diz: "Minha alma está profundamente triste, a ponto de morrer. Fiquem aqui e vigiem comigo". E, avançando um pouco, ele prostra-se com o rosto no chão e ora: "Meu Pai! Se for possível, afasta de mim este cálice. Contudo, que seja feita a tua vontade, e não a minha" (Mt 26.38-39).

No Antigo Testamento, o cálice de Javé significava seu julgamento contra o pecado. O profeta Jeremias escreve: "Assim me disse o SENHOR, o Deus de Israel: 'Pegue da minha mão este cálice cheio do vinho de minha ira e faça que bebam dele todas as nações às quais eu o enviar'" (Jr 25.15). Espantosamente, a "nação" a quem o cálice é transmitido é o próprio povo de Deus (Jr 25.18). Isaías, Habacuque e Ezequiel usam a mesma metáfora (Is 51.17-22; Hc 2.16; Ez 23.31). Ao se defrontar com a cruz, Jesus teme esse cálice. Poderiam Tiago e João beber dele? De forma alguma. Na verdade, enquanto Jesus está suplicando ao Pai, Tiago e João e todos os outros seguidores estão dormindo profundamente. No entanto, no início daquela noite, eles *haviam* bebido vinho de outro cálice. Na ceia, Jesus tomou um cálice e, depois de ter dado graças, deu-o aos discípulos, dizendo: "Cada um beba dele, porque este é o meu sangue, que confirma a aliança. Ele é derramado como sacrifício para perdoar os pecados de muitos" (Mt 26.27-28). Uma vez que Jesus iria beber do cálice da ira de Deus contra o pecado, ele era capaz de compartilhar o cálice de seu sangue derramado pelo perdão dos pecados. Tiago e João também iriam beber do cálice de sofrimento, como seguidores de Jesus. Aliás, vemos Tiago martirizado no livro dos Atos (At 12.2). Os irmãos respondem à pergunta de Jesus dizendo que seriam capazes. Jesus lhes diz: "De fato, vocês beberão do meu cálice. Não cabe a mim, no entanto, dizer quem se sentará à minha direita ou à minha esquerda. Meu Pai preparou esses lugares para aqueles que ele escolheu" (Mt 20.22-23).

O resto dos doze apóstolos de Jesus ficaram zangados quando souberam do pedido de Tiago e João. Como eles ousavam tentar assegurar os principais lugares no reino de Jesus? Mas Jesus chama todos para si e explica que a grandeza em seu reino não vem do poder em causa própria, mas do serviço. "Quem quiser ser o líder entre vocês, que seja servo, e quem quiser ser o primeiro entre vocês, que se torne escravo. Pois nem mesmo o Filho do Homem veio para ser servido, mas para servir e dar sua vida em resgate por muitos" (Mt 20.26-28). A mãe dos filhos de Zebedeu deve ter sentido a força dessa repreensão. Ela havia entendido tudo errado. Mas essa não é a última vez que ouviremos falar dela.

A mãe dos filhos de Zebedeu é uma das testemunhas oculares da crucificação de Jesus nomeadas por Mateus. Descobrimos nesse momento que ela o havia seguido desde os primeiros dias de seu ministério na Galileia (Mt 27.55-56). Essa mulher viu a acusação sobre a cabeça dele: "ESTE É JESUS, O REI DOS JUDEUS" (Mt 27.37). Viu os dois criminosos crucificados com ele, um à direita e outro à esquerda (Mt 27.38). Deve ter percebido naquele instante quão errada estivera. Mas permaneceu com Jesus até o fim, e provavelmente depois viu seus dois filhos, Tiago e João, se tornarem testemunhas corajosas de Jesus como o Cristo ressuscitado: o Rei que tomou do cálice e entrou em seu reino por meio da cruz.

"Estou com sede"

A mãe dos filhos de Zebedeu não foi a única mãe que assistiu à morte de Jesus. O Evangelho de João nos conta que Maria, mãe de Jesus, também testemunhou a crucificação. Maria havia acalmado o choro do bebê Jesus com seu leite. Havia visto

NUTRIÇÃO

Jesus adulto transformar água em vinho. Agora ela vê Jesus moribundo gritando de sede:

> Jesus sabia que sua missão havia terminado e, para cumprir as Escrituras, disse: "Estou com sede". Havia ali uma vasilha com vinagre, de modo que ensoparam uma esponja no vinagre, a colocaram na ponta de um caniço de hissopo e a ergueram até os lábios de Jesus. Depois de prová-la, Jesus disse: "Está consumado". Então, inclinou a cabeça e entregou o espírito.
>
> João 19.28-30

Como vemos Jesus pelos olhos da mãe nesse momento? Vemos aquele que possuía o poder de transformar 120 litros de água de seis potes de pedra no melhor vinho padecer com sede e receber um gole de vinagre. Vemos a espada que atravessou a alma de sua mãe — como Simeão profetizara — e o preço extraordinário que Jesus pagou para que pecadores como você e eu pudéssemos comer e beber e viver com ele para sempre.

Recorremos a comida e bebida em busca de vida e consolo, libertação e força. Repetidas vezes nos Evangelhos, Jesus se apresenta como comida e bebida. Seu primeiro "Eu sou" foi pronunciado para a samaritana junto ao poço, depois de lhe oferecer água viva. Ele faz sua segunda declaração iniciada por "Eu sou" depois de alimentar cinco mil pessoas com cinco pães e dois peixes: "Eu sou o pão da vida. Quem vem a mim nunca mais terá fome. Quem crê em mim nunca mais terá sede" (Jo 6.35). Jesus é a água viva e o pão da vida. A nutrição que ele dá deriva de sua morte. "Eu lhes digo a verdade: se vocês não comerem a carne do Filho do Homem e não beberem o seu sangue, não terão a vida em si mesmos. Mas quem come minha carne e bebe meu sangue terá a vida eterna, e eu o ressuscitarei no último dia" (Jo 6.53-54). Não sei como você se sente em relação a comida e bebida hoje. Não sei se você odeia comida e bebida pelos problemas que elas apresentam, ou se comer e beber lhe traz alegria. Mas isto eu sei: sem Jesus, ficaremos todos famintos. Com ele, desfrutaremos de um banquete eterno, que inspira amor e concretiza esperanças.

– Questões para discussão –

Primeiros passos: Qual é a sua bebida favorita para um dia quente?

1. Como Jesus revela sua identidade como o Noivo? Por que esse título é importante?
2. Quais são alguns dos fatores que tornam tão polêmica a conversa de Jesus com a mulher junto ao poço?
3. O que Jesus revela sobre si mesmo à mulher junto ao poço?
4. O que a mulher junto ao poço e a mulher que pediu que Jesus curasse sua filha têm em comum? O que as interações de Jesus com elas revelam sobre o evangelho?
5. Por que, a seu ver, Jesus escolheu usar metáforas sobre comida e bebida para descrever a si mesmo e o que ele oferece? O que essas metáforas revelam sobre o caráter dele?
6. Em que área de sua vida você experimenta uma fome insatisfeita?
7. Como ver Jesus como aquele de quem vem toda a verdadeira nutrição deveria influenciar seu relacionamento com ele agora?

NUTRIÇÃO

8. De que forma a sua visão de Jesus se tornou mais profunda ao vê-lo pelos olhos dessas mulheres?

Aprofundamento: Leia João 4.1-42.

1. Quais são as duas principais revelações de Jesus à mulher junto ao poço em sua conversa? Ver João 4.10.
2. O que Isaías 44.3 equipara à água derramada sobre a terra sedenta? Como esse versículo influencia o seu entendimento da dádiva divina a que Jesus se refere em João 4.10? Como uma plateia judia reagiria ao fato de que Jesus oferece essa dádiva a uma samaritana?
3. Que papel a mulher junto ao poço desempenha na nova fé dos outros samaritanos? Como esse papel fornece bases para entendermos o evangelismo?

4
Cura

Ontem na igreja sentei-me ao lado de uma amiga chamada Grace, que provavelmente vai viver só mais alguns meses. Ela teve câncer pela primeira vez 23 anos atrás, quando sua filha era jovem. Agora a doença retornou para completar o trabalho. Grace é chino-malaia. Seu marido, Raja, que morreu uma década atrás, era malaio, de uma família do sul da Índia. Ele foi diagnosticado com uma doença cardíaca e aconselhado a fazer uma operação com taxa de sobrevivência de 97%. Infelizmente, ele acabou ficando entre os 3%. Grace e Raja haviam se conhecido na escola dominical quando crianças. Quando Grace teve câncer pela primeira vez, orou por cura. Da segunda vez, não fez isso. Orou pedindo coragem e ajuda, mas não cura. Apesar de ser jovem demais para morrer pelos padrões ocidentais, ela se sente "pronta a ir encontrar o Senhor". Cantar para Jesus com uma amiga que está morrendo, que confia nele como sua ressurreição e vida, faz com que a gente reflita. As palavras têm um sabor diferente em nossa boca quando estamos cantando ao lado de alguém que logo irá descobrir definitivamente se elas são verdadeiras.

Não sei qual é a sua condição médica atualmente. Talvez você esteja no auge da vida e seja saudável dos pés à cabeça. Talvez esteja à beira da morte: "o país desconhecido de cujos limites", lamenta-se Hamlet, "nenhum viajante retorna".[1] Provavelmente você se encontra em algum ponto entre esses dois extremos, com dores e desconfortos periódicos e episódios de doenças que surgem como convidados inesperados. Mas todos nós morreremos um dia. O que Jesus tem a ver conosco enquanto pulamos, saltamos ou nos arrastamos em direção ao fim?

Como vimos no primeiro capítulo, quando Lucas nos apresenta pela primeira vez as discípulas de Jesus, ele escreve: "Iam com ele os Doze e também algumas mulheres que tinham sido curadas de espíritos impuros e enfermidades" (Lc 8.1-2). Curiosamente, as histórias de cura das mulheres que Lucas então nomeia entre os discípulos de Jesus não são contadas nos Evangelhos. Não sabemos do que Joana ou Susana sofriam antes de conhecerem Jesus, nem como Maria Madalena foi curada da possessão demoníaca. Mas conhecemos as histórias de outras mulheres curadas nos Evangelhos e, neste capítulo, olharemos para Jesus pelos olhos delas.

A sogra de Pedro

A maioria das pessoas com quem Jesus se encontra nos Evangelhos não é citada pelo nome, então não é de surpreender que muitas das mulheres curadas por Jesus também não o sejam. Na verdade, entre as histórias de cura de homens contadas nos Evangelhos, as únicas em que os nomes são citados são as do cego Bartimeu, cujo nome só é citado por Marcos (Mc 10.46); Malco, o servo do sumo sacerdote, cujo nome só

---

[1] Ato III, cena I da peça de William Shakespeare, *Hamlet, Príncipe da Dinamarca*. Ver Herschel Baker, et al., eds., *The Riverside Shakespeare* (Boston & Nova York: Houghton Mifflin Company, 1997), p. 1208.

CURA

é citado em João (Jo 18.10); e Lázaro. Em todas as histórias relatadas de Jesus curando mulheres, as mulheres também permanecem anônimas, com a exceção de uma. E ela é identificada não por seu nome, mas por seu relacionamento com um dos discípulos de Jesus.

A cura da sogra de Simão Pedro é a primeira história de cura física no Evangelho de Marcos, e vem logo em seguida à primeira história de cura espiritual. Jesus estava ensinando na sinagoga em Cafarnaum quando um homem possuído por um espírito impuro gritou: "Por que vem nos importunar, Jesus de Nazaré? Veio para nos destruir? Sei quem é você: o Santo de Deus!" (Mc 1.24). Jesus ordena ao espírito: "Cale-se! Saia deste homem!", e o espírito impuro faz com que o homem entre em convulsão. Aos berros, o espírito o abandona (Mc 1.25-26). Esse episódio espalhou a fama de Jesus por toda a região da Galileia. A seguir Marcos escreve:

> Depois que Jesus saiu da sinagoga com Tiago e João, foram à casa de Simão e André. A sogra de Simão estava de cama, com febre. Imediatamente, falaram a seu respeito para Jesus. Ele foi até ela, tomou-a pela mão e ajudou-a a levantar-se. A febre a deixou, e ela passou a servi-los.
>
> Marcos 1.29-31

A maioria das pessoas que Jesus cura nos Evangelhos são estrangeiros. Nessa história, Jesus cura alguém que provavelmente lhe era bem conhecido. Os detalhes são escassos. Mas a reação da mulher é significativa: assim que Jesus a cura, ela serve.

Mateus, Marcos e Lucas, todos contam a história, mas podemos nos perguntar por quê. De todas as centenas ou milhares de pessoas que Jesus curou, por que destacar essa? Será que

O JESUS QUE AS MULHERES VIRAM

os autores dos Evangelhos querem reforçar o papel de servir de uma mulher? Eu não acho. Se lermos essa história dentro da trama dos Evangelhos como um todo, descobriremos que ela não reforça simplesmente o lugar de uma mulher. O verbo para servir (*diakoneo*) que é aplicado à sogra de Pedro também descreve os anjos que serviram a Jesus depois que ele foi tentado no deserto (Mc 1.13; Mt 4.11). Descreve as discípulas de Jesus (Lc 8.1-3). Descreve Marta de Betânia quando ela serve enquanto sua irmã Maria se senta aos pés de Jesus e aprende, antes de Jesus apoiar especificamente a escolha de Maria (Lc 10.38-42). Mais importante: descreve o próprio Jesus, quando ele explica aos discípulos: "Entre vocês, porém, será diferente. Quem quiser ser o líder entre vocês, que seja servo, e quem quiser ser o primeiro entre vocês, que se torne escravo de todos. Pois nem mesmo o Filho do Homem veio para ser servido, mas para servir e dar sua vida em resgate por muitos" (Mc 10.43-45). A resposta da sogra de Pedro à cura de Jesus é um modelo não só para as mulheres, mas para todos nós. No reino de Jesus, servir não é trabalho de mulheres. É trabalho de todos.

Como vemos Jesus pelos olhos dessa mulher que se doa? Nós o vemos como aquele que nos pega pela mão e nos levanta. Nós o vemos como aquele cujo toque pode aliviar instantaneamente nossa dor, e como aquele que nos serve primeiro antes que tenhamos condições de servi-lo. Em 1662, o Livro Anglicano de Oração Comum descreveu Deus como aquele "cujo serviço é liberdade perfeita", e vemos isso representado pela sogra de Pedro. Com muita frequência em nossa vida moderna, vemos serviço e liberdade como opostos. Mas a sogra de Pedro, dois mil anos atrás, sabia o que os psicólogos modernos só descobriram recentemente. Nós humanos

CURA

prosperamos quando servimos com um coração grato, enquanto a "liberdade" que se realiza interminavelmente em si mesma nos torna infelizes.[2]

Em Mateus, Marcos e Lucas, a cura da sogra de Pedro e do homem possuído pelo demônio desencadeiam uma onda de pessoas doentes e possuídas que são levadas a Jesus. Mateus interpreta o que estava acontecendo:

> Ao entardecer, trouxeram a Jesus muita gente possuída por demônios. Ele expulsou esses espíritos impuros com uma simples ordem e curou todos os enfermos. Cumpriu-se, desse modo, o que foi dito pelo profeta Isaías:
>
> "Levou sobre si nossas enfermidades
> e removeu nossas doenças".
>
> Mateus 8.16-17

Aqui vemos a cura espiritual e física indo lado a lado, e Mateus, sempre ávido por nos mostrar como o Senhor cumpre as Escrituras hebraicas, relaciona as ações de Jesus à profecia do Antigo Testamento. Em contexto, a citação é:

> Apesar disso, foram as nossas enfermidades que ele tomou
> sobre si,
> e foram as nossas doenças que pesaram sobre ele.
> Pensamos que seu sofrimento era castigo de Deus,
> castigo por sua culpa.
> Mas ele foi ferido por causa de nossa rebeldia
> e esmagado por causa de nossos pecados.

---

[2] Se quiser saber mais sobre esse assunto, veja Rebecca McLaughlin, *Confronting Christianity: 12 Hard Questions for the World's Largest Religion* (Wheaton, IL: Crossway, 2019), p. 22-27.

Sofreu o castigo para que fôssemos restaurados
e recebeu açoites para que fôssemos curados.

Isaías 53.4-5

Aqui, em Isaías, vemos a figura misteriosa do servo de Deus (Is 52.13) tomando sobre si a doença, o pecado e o sofrimento do povo de Deus. Quando Jesus cura a sogra de Pedro e prossegue curando muitas outras pessoas de doenças tanto físicas quanto espirituais, ele está assumindo o papel do servo sofredor.

Assim como Jesus é às vezes retratado como um grande mestre de verdades universais, mas não como o grande Deus de todo o universo, da mesma forma alguns às vezes buscam separar a obra de Jesus de curar nossas enfermidades de sua obra de receber a punição por nosso pecado. Mas Mateus não nos deixa fazer essa separação. Quando Jesus morreu na cruz, ele recebeu a punição por todos os nossos pecados. Todavia ele também forçou a abertura da porta para a vinda da nova criação de Deus, em que não haverá mais morte, luto, choro ou dor (Ap 21.4). Ainda viveremos com o pecado e a enfermidade aqui e agora. No entanto, se somos seguidores de Jesus, estamos espiando pelo buraco da fechadura todo um mundo novo e diferente, onde pecado e sofrimento serão banidos para sempre por Jesus e sua vida de ressurreição. Jesus não veio apenas para dar a vida *por* nós. Ele veio também para compartilhar sua vida *conosco*. Quando Jesus cura a sogra de Pedro, ela recebe uma pequena amostra dessa vida de ressurreição, e imediatamente a usa para servir.

Viúva da cidade de Naim

Quando C. S. Lewis perdeu a esposa para o câncer, ele escreveu uma reflexão sobre a morte forjada a partir de sua

CURA

conturbada dor. É um pequeno livro com um título quase clínico — *A anatomia de um luto* — e é uma das obras escritas mais poderosas que já li. A passagem que frequentemente me deixa mais impressionada é esta:

> Ergo os olhos para o céu noturno. Há algo mais certo do que o fato de que, se me fosse dado sondar todos esses vastos tempos e espaços, em nenhum lugar encontraria seu rosto, sua voz, seu toque? Ela morreu. Está morta. Será que essa palavra é tão difícil de aprender?[3]

Lewis suplicara a Deus pela esposa, Joy. Casara-se com ela quando já sabia que ela estava morrendo. Na verdade, o diagnóstico de câncer o havia sacudido e levado à compreensão de que a amava. Ambos eram seguidores de Jesus, mas a tranquilidade de Joy a respeito da morte era muito maior do que a dele. Ele temia desesperadamente a partida dela. Orou intensamente a Deus que encerrasse o sofrimento dela curando-a, não com a morte. No começo, Joy experimentou uma melhora. Mas depois o câncer voltou. A resposta de Deus à fervente oração de Lewis foi não.

Muitas vezes nos Evangelhos as pessoas suplicam a Jesus pedindo cura. Como vimos no capítulo 2, quando Jesus cura Lázaro, ele não responde de imediato às súplicas de Maria e Marta. Como vimos no capítulo 3, quando a mulher siro-fenícia ora pela cura da filha — "Senhor, ajude-me!" —, Jesus de início não atende à sua oração. Em ambos os casos, enquanto espera ele trabalha com as mulheres que suplicam por

---

[3] C. S. Lewis, *A Grief Observed* (Londres: Faber e Faber, 1966), p. 15. [No Brasil, *A anatomia de um luto*. Rio de Janeiro: Thomas Nelson Brasil, 2021.]

sua ajuda. Ele constrói relacionamentos no intervalo entre o apelo delas e a resposta que lhes dá. Para alguns de nós, como Lázaro, a morte chega antes que o Grande Médico nos venha curar o corpo. Mas, às vezes, Jesus chega a nós antes mesmo de pedirmos.

Lucas narra uma história em que Jesus vai à cidade de Naim na Galileia, seguido por uma vasta multidão. À medida que se aproxima da porta da cidade, "estava saindo o enterro do único filho de uma viúva" (Lc 7.12). Uma grande multidão a acompanhava para lamentar a morte de seu filho. Então Lucas escreve:

> Quando o Senhor a viu, sentiu profunda compaixão por ela. "Não chore!", disse ele. Então foi até o caixão, tocou nele e os carregadores pararam. E disse: "Jovem, eu lhe digo: levante-se!". O jovem que estava morto se levantou e começou a conversar, e Jesus o devolveu à sua mãe.
>
> Lucas 7.13-15

Essa é a primeira vez que Lucas como narrador usa o termo "o Senhor" para se referir a Jesus. O que Jesus faz com sua autoridade? Sente compaixão por uma viúva.

No Antigo Testamento, a compaixão do Senhor pelos vulneráveis — principalmente as viúvas, os órfãos e refugiados — está profundamente entranhada em sua identidade. Por exemplo, Moisés declara ao povo de Deus:

> Pois o Senhor, seu Deus, é Deus dos deuses e Senhor dos senhores. É o grande Deus, o Deus poderoso e temível, que não mostra parcialidade e não aceita subornos. Ele faz justiça aos órfãos e às viúvas. Ama os estrangeiros que vivem entre vocês e lhes dá alimento e roupas.
>
> Deuteronômio 10.17-18

CURA

Da mesma forma, Davi chama Deus de "Pai dos órfãos, defensor das viúvas" (Sl 68.5). A lei de Deus estava repleta de regras para atender e proteger viúvas e órfãos, e quem os maltratasse recebia um alerta severo do Senhor: "Não explore a viúva nem o órfão. Se você os explorar e eles clamarem a mim, certamente ouvirei seu clamor. Minha ira se acenderá contra você e o matarei pela espada. Então sua esposa ficará viúva e seus filhos ficarão órfãos" (Êx 22.22-24). A compaixão do Senhor Jesus pela viúva enlutada, enquanto ela acompanha o cadáver do filho saindo de Naim, está perfeitamente alinhada com o caráter de Deus.

Essa mulher não tem marido, e agora seu único filho morreu também. Isso provavelmente a deixará desprovida de renda. Além do luto, ela pode enfrentar a privação. Mas Jesus lhe diz para não chorar, e então chama o filho morto de volta à vida. Assim como João chama Lázaro de "o morto" (Jo 11.44), Lucas se refere a esse filho da viúva como "o jovem que estava morto" para sublinhar sua completa falta de vida. No entanto, nesse momento, diante da ordem de Jesus, ele se levanta e começa a conversar (Lc 7.15). Lucas enfatiza mais uma vez o carinho que Jesus demonstra por essa viúva enlutada ao escrever: "Jesus o devolveu à sua mãe" (Lc 7.15).

Como vemos Jesus pelos olhos dessa viúva? Nós o vemos como aquele que vem a nós antes mesmo de termos pedido e demonstra compaixão. Nós o vemos como aquele que vem ao nosso encontro quando sofremos em desespero e mostra seu poder de reviver os mortos. Assim como ele disse a essa mulher para não chorar, Jesus um dia enxugará toda lágrima de nossos olhos, se apenas confiarmos nele (Ap 21.4). As últimas palavras de *A anatomia de um luto* de Lewis descrevem a esposa Joy no momento da morte: "Ela sorriu. Mas não para mim".[4] A Bíblia não nos promete que Jesus irá sempre curar nossos amados quando pedirmos. A verdade é que podemos esperar que a tristeza da separação que Lewis temia invada nossa vida. Porém a Bíblia nos promete que Jesus estará conosco em nossa dor e que, um dia, ele dará vida aos mortos, assim como deu vida ao filho dessa viúva em aflição.

Mulher com hemorragia e menina morrendo

"Você conhece a canção 'Touch the Hem of his Garment' [Toque a barra das vestes dele]?" A pergunta veio de uma amiga judia. A autoria dessa canção é do pioneiro de música *soul* Sam Cooke. A amiga me contou que a tocava para a filha na hora de dormir durante os primeiros dois anos de sua vida. Eu nunca havia escutado a canção. Quando a escutei, entendi por que essa música a comovia. Baseia-se em uma das histórias mais pungentes contadas nos Evangelhos: a história de uma mulher com hemorragia que tocou a barra das vestes de Jesus. É contada por Mateus, Marcos e Lucas. Não sabemos o nome dessa mulher. Mas sua história deixou uma marca no mundo, a tal ponto que, dois mil anos depois, minha amiga judia se comoveu com ela e quis usá-la como música de ninar. Quando a lemos em contexto, a história se torna ainda mais notável, pois está ligada a outro milagre, em que uma jovem é ressuscitada.

No relato de Marcos, um líder da sinagoga chamado Jairo prostra-se aos pés de Jesus e suplica-lhe veementemente: "Minha filhinha está morrendo. Por favor, venha e ponha as mãos sobre ela; cure-a para que ela viva!" (Mc 5.22-23). Jesus

---

[4] Lewis, *Grief Observed*, p. 64.

CURA

vai com Jairo de imediato, e uma grande multidão o acompanha. Mas os autores dos Evangelhos se concentram em uma mulher em particular na aglomeração:

> No meio da multidão estava uma mulher que havia doze anos sofria de hemorragia. Tinha passado por muitas dificuldades nas mãos de vários médicos e, ao longo dos anos, gastou tudo que possuía, sem melhorar. Na verdade, havia piorado. Tendo ouvido falar de Jesus, aproximou-se por trás dele no meio da multidão e tocou em seu manto, pois pensava: "Se eu apenas tocar em seu manto, serei curada".
>
> Marcos 5.25-28

Raramente os Evangelhos incluem monólogo interno. Quando o fazem, geralmente é para vermos o que se passa na mente dos fariseus, que ficam escandalizados com Jesus, ou dos discípulos, que tendem a interpretá-lo de modo errado. Mas aqui obtemos um pungente vislumbre de Jesus pelos olhos dessa mulher, quando ela diz a si mesma: "Se eu apenas tocar em seu manto, serei curada" (ver Mt 9.21).

Como vemos Jesus pelos olhos dessa mulher nesse momento? Nós o vemos como aquele a quem ela se agarra no desespero, sua última esperança de cura, seu recurso final quando o dinheiro acabou e os médicos fracassaram. Porém, embora vejamos sua fé no poder de Jesus, vemos também seu medo. Assim como homens com fluxos corporais, mulheres que menstruam eram consideradas cerimonialmente impuras (ver Lv 15). A impureza não era pecaminosa. Era inevitável às vezes, tanto para homens quanto para mulheres, mas impedia que essas pessoas entrassem no templo. A doença crônica dessa mulher implicava que ela não havia conseguido tomar parte na adoração no templo nos últimos doze anos. Qualquer contato com uma mulher com hemorragia implicaria a transmissão da impureza. Assim, em vez de pedir a ajuda de Jesus, ela se aproxima por trás dele e toca-lhe as roupas de repente. Durante doze anos ela viveu com a vergonha de sua doença, provavelmente infértil e incapaz de participar da adoração no templo, e espera passar despercebida na multidão ao estender a mão para Jesus.

O risco desesperado que essa mulher correu valeu a pena: "No mesmo instante, a hemorragia parou, e ela sentiu em seu corpo que tinha sido curada da enfermidade" (Mc 5.29). Contudo, no mesmo instante em que ela sente o sangue parar de fluir de seu corpo, Jesus sente o poder fluindo de si mesmo: "Jesus imediatamente percebeu que dele havia saído poder; por isso, virou-se para a multidão e perguntou: 'Quem tocou em meu manto?'" (Mc 5.30). Os discípulos de Jesus comentam quão estranha é essa pergunta: "Veja a multidão que o aperta de todos os lados. Como o senhor ainda pergunta: 'Quem tocou em mim?'" (Mc 5.31). Porém Jesus olha ao redor para ver quem o havia feito. Esse desenrolar não era o que a mulher havia planejado. "Então a mulher, assustada e tremendo pelo que lhe tinha acontecido, veio e, ajoelhando-se diante dele, contou o que havia feito" (Mc 5.33). Dada a sua enfermidade, a mulher sem dúvida receia ser repreendida por haver tocado em Jesus. Mas, em vez de condenação, Jesus oferece apoio: "Filha, sua fé a curou. Vá em paz. Seu sofrimento acabou" (Mc 5.34).

Os primeiros leitores judeus dos Evangelhos teriam encarado a impureza cerimonial da mulher como central para a história. Para a maioria de nós, esse aspecto pode parecer irrelevante. Mas a forma como Jesus acolhe essa mulher com hemorragia mostra que ele não se esquiva dos aspectos físicos

CURA

da feminilidade. Até a experiência normal da menstruação pode ser penosa. Para muitas mulheres, o período menstrual é acompanhado de desconforto físico e aflição emocional. Para algumas, a dor é debilitante. Não sei se você é homem ou mulher, ou quão confortável ou desconfortável este parágrafo esteja sendo para você. Talvez você seja uma mulher e tenha horror de sangrar todo mês. Talvez esteja enfrentando problemas de infertilidade, e todo período menstrual a lembre de que não há um bebê oculto em seu útero. Talvez seu coração esteja doendo de tristeza porque você sofreu um aborto involuntário: o sangue um dia anunciou a morte daquele a quem você tanto esperava. Ou talvez você esteja avançando penosamente para a menopausa ou pensando sobre ela com sentimentos mistos acerca da perda dos períodos menstruais. Mesmo que você não sofra muito com dores menstruais, duvido que goste de sangrar todos os meses. Para a maioria das mulheres, a sensação é a de um efeito colateral da feminilidade sobre o qual a propaganda só alerta por obrigação legal, mostrando o aviso muito rapidamente enquanto os publicitários nos distraem com cenas de uma mulher saltando em câmera lenta por um gramado!

Mas Jesus não se esquiva. Ao contrário, ele acolhe essa mulher que teve hemorragia durante doze anos seguidos como uma filha cheia de fé. Ele lhe dá a paz. Notavelmente, essa mulher é a única pessoa em todos os Evangelhos que Jesus chama de "filha" (Mt 9.22; Mc 5.34; Lc 8.48). A mulher que não ousou aproximar-se dele diretamente, mas tocou-lhe o manto em segredo, é reconhecida por Jesus pessoalmente. Ela é sua filha. É claro que ela tem o direito de tocá-lo.

Essa história nos sussurra ao longo dos séculos que o aspecto de feminilidade que as mulheres tanto se esforçam para ocultar não é repulsivo ao nosso Salvador. Ele me criou como uma mulher com um útero que perde seu revestimento interno todos os meses, a não ser que se transforme no lar de um novo ser humano à sua imagem. Qualquer vergonha que nós mulheres tenhamos a respeito das realidades físicas da feminilidade devem se desfazer diante das palavras de Jesus. Aquele que contou os fios de cabelo em nossa cabeça conhece também cada gota de sangue em nosso corpo. Em vez de humilhar essa mulher, Jesus a aprova. Ela foi excluída do templo por doze anos, e agora é acolhida por aquele que é o templo onde nos encontramos com Deus (Jo 2.18-22). Se recorrermos a Jesus em nossa necessidade, desespero e vergonha, sabemos que ele nos receberá com carinho também. Ele pode não nos curar aqui e agora. Ele não promete isso. Mas, quando recorrermos a ele em necessidade, ele com certeza se voltará para nós e nos receberá, assim como recebeu o toque dessa mulher e justificou suas ações: "Filha, sua fé a curou" (Mc 5.34).

As palavras de Jesus a essa mulher soam como um final feliz. Todavia, de repente somos lançados de volta à história de Jairo. Marcos nos conta que, enquanto Jesus ainda estava falando, vieram pessoas da casa de Jairo e disseram: "Sua filha morreu. Para que continuar incomodando o mestre?" (Mc 5.35). É um golpe devastador, e intensifica as críticas que a mulher com hemorragia poderia receber. Ela atrasou Jesus, que estava em uma missão urgente. Ela não poderia ter esperado para que sua doença crônica fosse curada só depois que Jesus tivesse salvado a vida de uma criança à beira da morte? Mas Jesus não mostra sinais de arrependimento. Diz a Jairo: "Não tenha medo. Apenas creia" (Mc 5.36). E, afastando-se da multidão na companhia apenas de Pedro, Tiago e João, ele vai à casa de Jairo.

CURA

Quando chegam à casa de Jairo, há muita gente lá, chorando a morte da menina. Mas Jesus pergunta: "Por que todo esse tumulto e choro? A criança não morreu; está apenas dormindo" (Mc 5.38-39). Em contraste com Jairo e a mulher com hemorragia, essas pessoas não têm fé em Jesus. Ao contrário, riem dele. Então Jesus ordena que saiam; leva consigo o pai e a mãe da criança, além de Pedro, Tiago e João, até o quarto onde a menina jaz, morta. A cena que Marcos descreve é íntima. Jesus deixa a multidão de fora ao entrar no luto dessa família. Temos uma rara amostra de aramaico, a língua que eles compartilham. Segurando-a pela mão, Jesus diz à menina: "*Talita cumi*", que significa "Menina, levante-se" (Mc 5.40-41).

Lucas nos conta, no começo da história, que essa menina tem doze anos (Lc 8.42). Marcos guarda esse detalhe para o final (Mc 5.42). Ela estava viva há exatamente o mesmo tempo que a mulher com hemorragia estava doente. A menina estava chegando à puberdade. A vida da mulher foi arruinada por um problema na menstruação. Sob a lei do Antigo Testamento, assim como Jesus teria se tornado cerimonialmente impuro pelo contato com a mulher com hemorragia, da mesma forma ele teria se tornado impuro por tocar um cadáver. Entretanto, Jesus não se deixa desencorajar por nossa impureza inevitável tanto quanto a mãe que acabou de dar à luz não deixa de segurar o bebê recém-nascido pelo fato de estar coberto de sangue. Muito em breve, Jesus irá sangrar por essa mulher e morrer por essa menina. Nesse momento, porém, ele apenas faz com que elas fiquem bem. Marcos nos conta que "a menina, que tinha doze anos, levantou-se de imediato e começou a andar. Todos ficaram muito admirados. Jesus deu ordens claras para que não contassem a ninguém o que havia acontecido e depois mandou que dessem alguma coisa para a menina comer" (Mc 5.42-43).

Como vemos Jesus pelos olhos dessa menina de doze anos? Nós o vemos como cada um de nós verá Jesus um dia, se tivermos fé nele. Quando Jesus nos chamar da morte para a vida eterna com ele, nós o veremos pela primeira vez frente a frente. Jesus diz aos pais dessa menina que lhe deem algo para comer. Mas quando ele chamar nosso corpo há muito tempo desmembrado de volta à vida, ele será o Senhor de um banquete que continuará pela eternidade. Jesus não ressuscita essa menina só para se exibir. Ele o faz porque tem afeto. E um dia, provavelmente quando nosso corpo estiver esfacelado e nosso nome apagado, Jesus nos chamará de volta à vida com o mesmo poder e ternura que mostrou pela mulher com hemorragia e a menina morta.

Filha de Abraão

Quando era pequena, lembro-me de que meu pai às vezes ficava com lágrimas nos olhos só de olhar para mim. Eu não entendia. Agora tenho duas filhas e entendo. Minhas meninas são preciosas demais para mim. Se fosse possível elas adoecerem porque a mãe fica lhes dizendo o tempo todo o quanto as ama, elas estariam destroçadas. "Filha" é uma bela palavra. Como você viu, Jesus reconhece a mulher com hemorragia que tocou em seu manto como filha enquanto segue até a casa de Jairo para curar a filha dele. O último milagre de cura envolvendo uma mulher em Lucas também apresenta um chefe de sinagoga e Jesus reconhecendo uma filha. Mas o cenário não poderia ser mais diferente. Jairo se ajoelha diante de Jesus e suplica-lhe que cure a filha a quem

CURA

ama. Mas o chefe da sinagoga nessa história — que deveria se importar com uma filha de Abraão em sofrimento —, ao contrário, reclama quando Jesus a cura.

Jesus estava ensinando em uma sinagoga no sábado, e "apareceu uma mulher enferma por causa de um espírito impuro", Lucas registra. "Andava encurvada havia dezoito anos e não conseguia se endireitar" (Lc 13.11). A doença da mulher é atribuída a "um espírito impuro", mas não há indicação de que ela estivesse possuída por demônio. O mais provável é que se esteja dizendo que Satanás é o responsável pela enfermidade dela. Lucas nos conta que "ao vê-la, Jesus a chamou para perto e disse: 'Mulher, você está curada de sua doença!'. Então ele a tocou e, no mesmo instante, ela conseguiu se endireitar e começou a louvar a Deus" (Lc 13.12-13).

A mulher com hemorragia se aproximou de Jesus por sua própria iniciativa. Mas Jesus chama essa mulher enferma para si. Talvez ela tenha ouvido falar que Jesus estava na cidade e tenha ido com esperanças de cura. Ou talvez aquela simplesmente fosse a sinagoga da cidade em que ela morava, e ela estivesse ali naquele sábado para adorar a Deus como habitualmente. Não sabemos toda a história. Mas vemos Jesus pelos olhos dela como aquele que, com palavras e mãos, pode nos libertar do sofrimento. Em um instante, uma corrente de dezoito anos de dor foi rompida. Enquanto muitos se aproximam de Jesus nos Evangelhos e se prostram, essa mulher finalmente se ergue e glorifica a Deus. Mas Jesus ainda não terminou a missão com ela.

Em vez de celebrar com essa mulher, o chefe da sinagoga fica zangado. Diz à multidão: "Há seis dias na semana para trabalhar. Venham nesses dias para serem curados, e não no sábado" (Lc 13.14). Essa reação arrepiante lembra a resposta dos fariseus quando Jesus cura um homem com a mão deformada em Lucas 6. Essa cura também acontece em uma sinagoga no sábado, e os fariseus estão observando especificamente para ver se Jesus irá curar no sábado a fim de que eles possam encontrar um motivo para acusá-lo. Quando Jesus curou o homem, eles ficaram "furiosos e começaram a discutir o que fazer contra ele" (Lc 6.11). A exemplo dos fariseus, o chefe da sinagoga não ataca Jesus diretamente. Em vez disso, desfere um ataque dissimulado contra a mulher por ir no sábado pedir para ser curada — muito embora tenha sido Jesus que tomara a iniciativa de curá-la.

Tendo feito a mulher enferma endireitar-se pela primeira vez em dezoito anos, Jesus em seguida se ergue em sua defesa:

> O Senhor, porém, respondeu: "Hipócritas! Todos vocês trabalham no sábado! Acaso não desamarram no sábado o boi ou o jumento do estábulo e o levam dali para lhe dar água? Esta mulher, uma filha de Abraão, foi mantida presa por Satanás durante dezoito anos. Não deveria ela ser liberta, mesmo que seja no sábado?".
>
> Lucas 13.15-16

A expressão "uma filha de Abraão" só aparece nessa passagem em toda a Bíblia. Jesus usa uma expressão análoga depois em Lucas, quando diz sobre um cobrador de impostos arrependido chamado Zaqueu: "este homem também é filho de Abraão" (Lc 19.9). Mas a declaração de que essa mulher é uma *filha* de Abraão é notável. Essa mulher é herdeira da promessa de Deus a Abraão — o pai fundador de Israel —, assim como qualquer homem judeu. A resposta dela louvando a Deus contrasta profundamente com a reação do chefe da sinagoga e mostra que ela é uma verdadeira herdeira de

Abraão, enquanto ele não é. Lucas encerra a história dividindo a plateia em dois grupos, aqueles que apoiavam o chefe da sinagoga em sua crítica e aqueles que apoiavam a mulher em seu louvor: "As palavras de Jesus envergonharam seus adversários, mas todo o povo se alegrava com as coisas maravilhosas que ele fazia" (Lc 13.17). Não há neutralidade quando se trata de Jesus. Podemos receber suas palavras de vida ou podemos ficar contra ele e ser alvo de vergonha.

Não sabemos se essa "filha de Abraão" se juntou às mulheres curadas que viajavam com Jesus. Não sabemos se a mulher que sofrera com hermorragia por doze anos e fora acolhida como filha de Jesus o seguiu. Não sabemos se a filha de Jairo insistiu com os pais para que a família acompanhasse Jesus, nem se a viúva de Naim permaneceu com Jesus. Talvez o tenham feito. Talvez, em vez disso, elas tenham entrado no grupo de discípulos que permaneciam na cidade onde já habitavam, como Maria e Marta. De qualquer forma, pelos olhos de cada uma dessas mulheres, vemos Jesus como aquele que traz cura aos doentes, vida aos mortos, acolhimento aos marginalizados e honra aos desprezados.

Pelos olhos dessas mulheres curadas, vemos Jesus como aquele que pode nos tornar inteiros se simplesmente tocarmos a barra de sua roupa, mas cujas roupas foram divididas por sorteio e dadas aos soldados que o crucificaram (Lc 23.34; Mt 27.35). Nós o vemos como aquele que veio suportar nossos sofrimentos e carregar nossas doenças, aquele que sangrou por nós de modo mais doloroso do que sangrava a mulher que menstruava, aquele que morreu por nós de modo mais definitivo do que a menina de doze anos, aquele cujas costas foram vergadas ao peso de uma cruz torturante para que nossas costas pudessem se endireitar um dia, quando ele nos chamar de nosso túmulo e nos acolher como filhos e filhas de Abraão.

Minha amiga que está morrendo está pronta a se encontrar com o Senhor e orando em busca de coragem para os sofrimentos que virão. Não lhe falta a fé de que Jesus a irá curar. Ela está absolutamente confiante em que ele o fará, porque, um dia, ele a chamará e a seu marido de seus túmulos para a vida de ressurreição com ele, e eles serão completamente curados.

– Questões para discussão –

Primeiros passos: Quando você tem um resfriado, qual é seu remédio caseiro preferido para se sentir melhor?

1. Por que cada uma das mulheres neste capítulo precisava de cura? Como as pessoas reagiram diante dessas curas?
2. Como a compaixão de Jesus pela viúva de Naim reflete os sentimentos do Senhor no Antigo Testamento?
3. Como as curas de Jesus apontam para algo maior no futuro?
4. Em que aspectos as histórias de curas neste capítulo ilustram como Jesus cumpre a profecia em Isaías 53.4-5?
5. O filho morto da viúva, a mulher com hemorragia e a filha morta de Jairo estavam todos cerimonialmente impuros. Entretanto, em vez de tornar impuro a ele próprio, o toque de Jesus os tornou limpos. Como essa dinâmica está correlacionada a Jesus nos salvar do pecado?
6. Você ou alguém que você conhece já orou ao Senhor pedindo a cura? Você obteve a cura pela qual estava esperando?

CURA

7. Em que aspecto, neste momento, você anseia por cura? Como essas histórias de curas lhe dão esperança, quer você receba a cura quando e como deseja, quer não?
8. De que forma a sua visão de Jesus se tornou mais profunda ao vê-lo pelos olhos dessas mulheres?

Aprofundamento: Leia Marcos 5.25-34.

1. O que sabemos sobre a mulher com hemorragia a partir dos detalhes fornecidos no texto? Que inferências você pode extrair sobre a posição social e o estado emocional dela?
2. Por que a mulher com hemorragia tentou se esconder na multidão para tocar Jesus? Ver Levítico 15.19-31 para obter ajuda.
3. Quando a hemorragia da mulher parou (Mc 5.29)? Como Jesus respondeu? Por que, a seu ver, Jesus não a deixou ir embora sem chamar atenção para ela?

5
Perdão

A noite passada assisti, pela tevê, a uma apresentação da cantora Adele. A estrela britânica cantou no Griffith Observatory em Los Angeles, sob as estrelas e diante de uma plateia repleta de estrelas, e as filmagens de seu espetáculo foram intercaladas com uma entrevista íntima dada a Oprah Winfrey. Adele abriu a apresentação com a canção "Hello". Como Oprah comentou, o vídeo dessa canção foi assistido três bilhões de vezes. O vídeo apresenta a canção como um lamento por um relacionamento rompido. A mulher telefonou mil vezes para tentar se desculpar por partir o coração do amado. Ele superou o rompimento, mas ela ficou presa no arrependimento. É uma canção de anseio pelo perdão e amor perdido, de desejo de que uma porta trancada seja reaberta. Talvez todos sintamos impulsos desse tipo às vezes. Talvez todos ansiemos pelo perdão e por um amor outrora rejeitado.

Neste capítulo, exploraremos duas histórias de perdão a mulheres que talvez pensassem que haviam ido longe demais para serem trazidas de volta e acolhidas. Veremos como Jesus trata mulheres que difamamos como lixo moral e como ele usa seu exemplo para expor os defeitos morais dos homens que as julgam. Veremos como Jesus acolhe prostitutas no reino de Deus enquanto os autonomeados guardiões da moral observam horrorizados. Veremos um vislumbre do perdão radical que Jesus oferece, mesmo àqueles que são arrastados à sua presença, e veremos como a porta para o amor eterno com Jesus está escancarada agora — se tão somente nos aproximarmos dele.

Prostitutas no reino

No verão passado, eu estava indo de carro com meus filhos para a praia. Quando fomos detidos pelo trânsito, reparei em uma mulher que estava se aproximando do carro à nossa frente. Ela era evidentemente pobre, mas não estava mendigando, como diversos sem-teto fazem nos faróis de estradas pelas quais passamos frequentemente. Demorei um instante para perceber o que a dança estranha, fingidamente alegre que ela estava fazendo enquanto circulava entre os carros queria sinalizar. Eu não era o alvo dela, mas meu coração se comoveu. Perguntei-me como a vida dela a levara até aquele momento, e orei a Deus para que ele lhe enviasse um amor como ela jamais conhecera. Era óbvio que ela esperava ser apanhada por um homem que pagaria por seu corpo. Esperei que, em vez disso, ela fosse apanhada pelo homem que veio para pagar com sua vida por mulheres como ela. Porque Jesus acolheu prostitutas: não como os outros homens de seu tempo e do nosso, mas como um irmão amoroso procurando a irmã nos bairros pobres a fim de levá-la para casa.

Dizem que a gente sabe que está em casa quando se tem autorização para reorganizar os móveis. Quando Jesus estava com doze anos, afirmou que o templo era a casa de seu Pai (Lc 2.49). Quando Jesus entrou no templo já adulto, nós o vemos reorganizar os móveis de um modo radical. Mateus nos conta que ele "começou a expulsar todos que ali estavam comprando e vendendo animais para os sacrifícios. Derrubou as mesa dos cambistas e as cadeiras dos que vendiam pombas" (Mt 21.12). Essa reorganização deixa os principais sacerdotes e chefes da lei zangados. Eles perguntam a Jesus: "Com que autoridade você faz essas coisas? Quem lhe deu esse direito?" (Mt 21.23). Como sempre, Jesus não lhes responde diretamente. Primeiro, ele lhes pergunta o que pensam de João Batista, sabendo que isso os colocará em uma situação difícil, porque João é muito popular. Então ele conta uma história para ajudá-los a ver a situação em que se encontram:

> O que acham disto? Um homem que tinha dois filhos disse ao mais velho: "Filho, vá trabalhar no vinhedo hoje". O filho respondeu: "Não vou", mas depois mudou de ideia e foi. Então o pai disse ao outro filho: "Vá você", e ele respondeu: "Sim senhor, eu vou", mas não foi. Qual dos dois obedeceu ao pai?
>
> Mateus 21.28-31

Os principais sacerdotes e os anciãos responderam: "O primeiro". Então Jesus explicou:

> Eu lhes digo a verdade: cobradores de impostos e prostitutas entrarão no reino de Deus antes de vocês. Pois João veio e mostrou o caminho da justiça, mas vocês não creram nele, enquanto cobradores de impostos e prostitutas creram. E, mesmo depois de verem isso, vocês se recusaram a mudar de ideia e crer nele.
>
> Mateus 21.31-32

As palavras de Jesus são escandalosas. Do ponto de vista judeu, os cobradores de impostos e as prostitutas eram os maiores pecadores. Inversamente, os principais sacerdotes e líderes do povo veriam a si mesmos como o topo da árvore

O JESUS QUE AS MULHERES VIRAM

religiosa. Mas Jesus lhes diz, sem fazer rodeios, que as prostitutas e os vigaristas que simpatizavam com os romanos — exatamente as pessoas a quem eles difamam — vão entrar no reino de Deus antes deles. Por quê? Porque as prostitutas e os cobradores de impostos estão se arrependendo de seus pecados. Com efeito, Jesus fala como se os principais sacerdotes e os líderes do povo devessem seguir-lhes o exemplo.

A mensagem de Jesus é a mesma hoje. A mulher circulando entre os carros pode muito bem se arrepender e entrar no reino de Jesus, enquanto a mais respeitável mãe de quatro filhos que atua como voluntária em todos os comitês da escola e é casada com um presbítero na igreja não o fará. Um homem preso por seus crimes pode se arrepender e entrar no reino de Jesus, enquanto um respeitável delegado de polícia nunca o fará. A pergunta para aqueles que querem entrar não é "Você é pecador?", mas sim "Você se arrependeu?". Jesus oferece perdão gratuito e pleno para as prostitutas e cobradores de impostos que resolvam acompanhá-lo. De fato, ao que parece eles se aglomeravam ao seu redor, enquanto muitos dos judeus mais religiosos se recusavam a se aproximar.

As palavras de Jesus em referência às prostitutas são radicais a um grau que é difícil para nós compreender. Seus conterrâneos judeus encaravam as prostitutas como pecadoras a serem evitadas a todo custo — e com certeza não como pessoas que pudessem entrar diretamente no reino de Deus. Mas, no império greco-romano mais amplo, o comentário de Jesus era, na verdade, ainda mais contestador, porque Jesus está reconhecendo as prostitutas como seres humanos válidos em si mesmos e por si mesmos.

Em Roma, "os homens não hesitavam mais em usar escravos e prostitutas para aliviar suas necessidades sexuais do que em usar a beira da estrada como banheiro".[1] Sexo com prostitutas não era visto como imoral, mas como uma válvula de escape legítima e necessária para o desejo sexual masculino. Aliás, como explica o historiador Kyle Harper, "A indústria do sexo fazia parte da economia moral do mundo clássico".[2] Porém as prostitutas elas mesmas eram vistas como quase literalmente sem valor. O custo médio do sexo com uma prostituta era igual ao custo de uma baguete de pão.[3] Nas palavras de Harper: "A exposição brutal de mulheres vulneráveis assentava-se em uma indiferença pública tão vasta que repousava invisivelmente nas próprias bases da ordem sexual antiga".[4] Ninguém se importava com as prostitutas exceto para os serviços que elas podiam fornecer.

O ensinamento de Jesus introduziu duas mudanças profundas. A primeira é que ele amava e valorizava as mulheres — inclusive as prostitutas. A segunda é que, contra as normas do império, ele defendia o casamento fiel como o único contexto aceitável para o sexo. Isso iniciou uma revolução sexual mais ousada do que a revolução da década de 1960, mas no sentido oposto.

A revolução sexual moderna ofereceu às mulheres o direito ao sexo livre de compromisso: um direito de que muitos homens vinham desfrutando ao longo dos séculos. Mas a

---

[1] Tom Holland, *Dominion: How the Christian Revolution Remade the World* (Nova York: Basic Books, 2019), p. 99. [No Brasil, *Domínio: O cristianismo e a criação da mentalidade ocidental*. Rio de Janeiro: Record, 2022.]

[2] Kyle Harper, *From Shame to Sin: The Christian Transformation of Sexual Morality in Late Antiquity* (Cambridge, MA: Harvard University Press), p. 3.

[3] Ibid., p. 49.

[4] Ibid., p. 15.

revolução sexual que foi desencadeada pela ascensão do cristianismo dentro do Império Romano suprimiu a liberdade sexual dos homens e chamou-os ao tipo de fidelidade no casamento que anteriormente se esperava apenas das esposas. Isso significava que as mulheres não podiam mais ser vistas como objetos descartáveis do desejo sexual masculino. Ao contrário, o sexo só era aceito no casamento — a união permanente, realizada por Deus, de um homem e uma mulher em uma só carne (Mt 19.4-6) — e os maridos cristãos deveriam amar as esposas com o mesmo tipo de amor sacrificial que Cristo tinha por sua igreja (Ef 5.25). São óbvios os motivos por que tal mudança seria uma boa notícia para as mulheres, que anteriormente haviam sido vítimas do sexo coercivo. Mas, como vimos na introdução, há um conjunto crescente de provas a sugerir que o sexo livre de compromisso prejudica consideravelmente a felicidade e saúde das mulheres mesmo quando é livremente escolhido. A ética sexual de Jesus leva verdadeiramente ao florescimento humano. Porém, embora Jesus definisse todo sexo fora do casamento como pecaminoso (Mc 7.21), ele também acolhia até o mais notório dos pecadores sexuais que depositava nele sua confiança.

Como vemos Jesus pelos olhos dessas prostitutas arrependidas? Nós o vemos como o único homem que as acolhe não pelo que pode obter dela, mas pelo que ele lhe pode dar. Nós o vemos como aquele que não usa a história delas contra elas, mas que conhece cada detalhe de seu passado e as acolhe em seu maravilhoso futuro. Nós o vemos como um ímã para aqueles que se sentem como restos de metal humano no monturo de lixo da vida, recolhendo os destroçados e maltratados e levando-os para seu reino de amor.

Mulher pecadora

Obtemos mais detalhes sobre a atitude de Jesus em relação às mulheres que eram conhecidas como pecadoras a partir de uma história impressionante no Evangelho de Lucas. Logo antes de nos contar sobre o encontro de Jesus com uma mulher reconhecidamente pecadora, Lucas relata uma reflexão de Jesus sobre sua própria má reputação. Jesus comenta que às vezes não há como ganhar. João Batista "não costumava comer e beber em público" e foi acusado de estar possuído por um demônio (Lc 7.33). Jesus "come e bebe" e as pessoas dizem: "É comilão e beberrão, amigo de cobradores de impostos e pecadores" (Lc 7.34). O que Jesus faz a seguir torna sua reputação ainda pior.

Jesus havia sido convidado para jantar na casa de um dos fariseus. Isso é surpreendente, considerando a frequência com que os fariseus vinham criticando Jesus. Talvez esse fariseu esteja dando a Jesus uma oportunidade de se redimir. Mas então algo extremamente embaraçoso acontece:

> Quando uma mulher daquela cidade, uma pecadora, soube que ele estava jantando ali, trouxe um frasco de alabastro contendo um perfume caro. Em seguida, ajoelhou-se aos pés de Jesus, chorando. As lágrimas caíram sobre os pés dele, e ela os secou com seu cabelo; e continuou a beijá-los e a derramar perfume sobre eles.
>
> Lucas 7.37-38

Em banquetes especiais, era comum que os convidados se reclinassem à mesa e que as portas ficassem abertas. Pessoas que não haviam sido convidadas podiam se sentar ao redor junto às paredes da sala, escutar a conversa e talvez receber migalhas de comida. Assim, a entrada de uma visita não oficial não é algo extraordinário. Mas sua identidade e ações são extraordinárias. Não sabemos todos os detalhes do pecado dessa mulher. Talvez ela fosse prostituta. Talvez fosse conhecida como "pecadora" por alguma outra razão. Seja como for, vemos pela descrição de Lucas e a reação dos fariseus que ela era o tipo de mulher que um rabi judeu teria evitado. Mas aqui está ela, demonstrando um amor extravagante a Jesus do modo mais auto-humilhante, e Jesus simplesmente a deixa fazer isso.

As ações dessa mulher espelham as ações de Maria de Betânia, que analisamos no capítulo 2. Ambas as mulheres ungem o corpo de Jesus com o perfume de um frasco de alabastro enquanto ele está reclinado à mesa. Ambas enxugam-lhe os pés com os cabelos. Ambos os episódios se dão na casa de alguém chamado Simão: Simão, o fariseu, em um caso, e Simão, o leproso, no outro. Alguns sugeriram que Lucas está relatando o mesmo acontecimento que Mateus, Marcos e João. Mas Simão era o nome mais comum entre homens judeus naquela época e naquele local, e os contextos das duas histórias são bastante diferentes.[5] Ao contrário de Maria de Betânia, essa mulher é retratada como uma conhecida pecadora. Em vez de ser criticada por desperdiçar dinheiro como foi Maria, essa mulher é vista como tóxica em si mesma e por si mesma. Os paralelos não se devem ao fato de Lucas estar narrando a mesma história que Mateus, Marcos e João, mas ao fato de que ambas as mulheres sabiam que Jesus merecia o amor mais extravagante. E assim como Maria era o que o

---

[5] Sobre a popularidade do nome Simão/Simeão, ver Bauckham, *Jesus and the Eyewitnesses*, p. 85.

PERDÃO

discípulo Judas Iscariotes deveria ter sido, essa mulher anônima e pecadora da cidade demonstra o amor que Simão, o fariseu, deveria ter demonstrado.

Lucas nos relata como Simão reage: "Quando o fariseu que havia convidado Jesus viu isso, disse consigo: 'Se este homem fosse profeta, saberia que tipo de mulher está tocando nele. Ela é uma pecadora!'" (Lc 7.39). Do ponto de vista de Simão, Jesus deveria saber que o contato com essa mulher pecadora o contaminaria moralmente — como rolar em um bolor que se espalha rápido. Nesse momento, Simão, o fariseu, é o oposto da samaritana que encontramos no capítulo 3. Ela reconheceu Jesus como profeta quando descobriu que ele conhecia sua história sexual. Simão acha que Jesus *não pode* ser profeta, porque *não* deve ter percebido quão pecaminosa era aquela mulher. Mas Jesus sabe exatamente quem ela é. E sabe o que Simão é também.

Não sabemos se Simão faz sua crítica baixinho ou só mentalmente, mas Jesus a ouve de qualquer forma. "Simão, tenho algo a lhe dizer", ele replica. O fariseu responde com ao menos um respeito simulado: "Diga, mestre" (Lc 7.40). Então Jesus conta uma história como aquela que contou aos principais sacerdotes e líderes do povo quando anunciou a boa-nova de que as prostitutas entrariam no reino de Deus antes deles:

> Um homem emprestou dinheiro a duas pessoas: quinhentas moedas de prata a uma delas e cinquenta à outra. Como nenhum dos devedores conseguiu lhe pagar, ele generosamente perdoou ambos e cancelou suas dívidas. Qual deles o amou mais depois disso?
>
> Lucas 7.41-42

O JESUS QUE AS MULHERES VIRAM

Quinhentas moedas de prata ou denários é uma dívida expressiva — equivalente a cerca de vinte meses de salário. Cinquenta equivale a cerca de dois meses de pagamento. Simão responde: "Suponho que aquele de quem ele perdoou a dívida maior". Jesus replica: "Você está certo". Então, voltando-se para a mulher, Jesus pergunta a Simão: "Vê esta mulher?" (Lc 7.43-44, NVI).

O fato é que tanto Jesus quanto Simão veem a mulher. Mas eles a veem de modo muito diferente. Simão a vê como uma pecadora que não deveria tocar os pés de Jesus. Ele a vê como ofensiva, moralmente corrupta, merecedora de desdém. Simão a vê como um teste definitivo: Jesus não pode ser profeta se deixa essa mulher tocá-lo. Mas Jesus a vê como aquela que faz o que Simão deveria ter feito. Na verdade, Jesus chega a fazer uma comparação ponto a ponto entre o fariseu moralmente respeitável e a mulher moralmente arruinada da cidade:

> Quando entrei em sua casa, você não ofereceu água para eu lavar os pés, mas ela os lavou com suas lágrimas e os secou com seus cabelos. Você não me cumprimentou com um beijo, mas, desde a hora em que entrei, ela não parou de beijar meus pés. Você não me ofereceu óleo para ungir minha cabeça, mas ela ungiu meus pés com um perfume raro. Eu lhe digo: os pecados dela, que são muitos, foram perdoados e, por isso, ela demonstrou muito amor por mim. Mas a pessoa a quem pouco foi perdoado demonstra pouco amor.
>
> Lucas 7.44-47

Simão acha que Jesus deveria se envergonhar por ser tocado por essa mulher, que ele deveria rejeitá-la como alguém que cospe leite estragado. Mas Jesus acha que Simão é quem

PERDÃO

devia se envergonhar. Essa mulher pecadora está fazendo por Jesus tudo o que Simão deixou de fazer. Por quê? Porque ela o ama.

Como vemos Jesus pelos olhos dessa mulher nesse momento? Nós o vemos como fonte de perdão e objeto de seu amor. Nós o vemos como aquele por quem vale a pena se humilhar diante da multidão. Nós o vemos como aquele por quem vale a pena sacrificar tanto o dinheiro quanto a dignidade, quando ela despeja perfume caro em seus pés e os enxuga com os cabelos. Jesus está tão acima dela que ela não pode se rebaixar o bastante em sua presença. Mas, pelos seus olhos, vemos também Jesus como aquele que fica ao lado de pecadores como ela — e como você e eu. Como vimos pelos olhos de muitas mulheres neste livro até agora, Jesus é aquele que defende mulheres desprezadas contra a censura de homens poderosos. E, mesmo quando essa mulher pecadora se inclina, vemos Jesus a elevando como um paradigma de amor reluzente, manchado de lágrimas, para humilhar o fariseu hipócrita. Mas Jesus ainda não terminou a lição sobre ela.

Depois de repreender Simão, Jesus se volta novamente à mulher e diz: "Seus pecados estão perdoados" (Lc 7.48). Essa declaração causa ainda mais tumulto. Lucas nos conta que "os homens que estavam à mesa diziam entre si: 'Quem é esse que anda por aí perdoando pecados?'" (Lc 7.49). Só Deus tem esse direito. No entanto, Jesus diz a essa mulher que seus pecados foram limpos, tão certamente quanto as lágrimas dela lhe limparam os pés. Jesus é aquele que empresta dinheiro, com quem tanto o fariseu quanto a mulher de má reputação têm uma dívida. O amor extravagante dela é resultado do perdão extravagante dele. Simão, o fariseu, talvez ache que tem menos dívidas a pagar a Deus do que essa mulher. Jesus não o desmente. Em vez disso, ele lhe mostra por meio dessa mulher como é uma pessoa perdoada. Então Jesus diz a ela: "Sua fé a salvou. Vá em paz" (Lc 7.50).

Não sabemos se essa mulher perdoada se juntou ou não ao grupo de discípulos que viajava com Jesus. Porém, logo após relatar essa história, Lucas nos conta sobre as mulheres — como Maria Madalena, Joana e Susana — que faziam parte desse grupo (Lc 8.1-3). Essas mulheres estavam prontas a abandonar tudo por Jesus. Elas haviam sido curadas e perdoadas, e o seguiam por onde quer que ele fosse. Jesus aceita a todos. Aceitou Maria Madalena, de quem teve de expulsar sete demônios (Lc 8.2). Aceitou a mulher pecadora da cidade, cujo toque era considerado moralmente contaminador. Aceitou a mim e aceitará você. Mas todos os que acham que precisam apenas de um pouco de perdão de Deus se verão excluídos de seu reino — empurrados para o lado pelas prostitutas, cobradores de impostos e pecadores que estão entrando antes deles. Por quê? Porque, ao contrário da mulher pecadora da cidade, eles não querem se jogar aos pés de Jesus.

Será que essa história deveria estar na Bíblia?

João encerra seu Evangelho com estas palavras: "Jesus também fez muitas outras coisas. Se todas fossem registradas, suponho que nem o mundo inteiro poderia conter todos os livros que seriam escritos" (Jo 21.25). Vamos passar o restante deste capítulo analisando uma passagem no Evangelho de João que provavelmente não constava da seleção original de João, mas que está perfeitamente alinhada com o que vemos de Jesus no restante de João e nos outros Evangelhos, no que se refere a mulheres. Antes de vermos a história em si, vamos dedicar um instante para pensar em como deveríamos entender um texto como esse, que pode ou não constar do original.

Se você abrir a Bíblia em João 8, provavelmente encontrará uma nota que diz: "Alguns manuscritos não trazem os versículos 7.53—8.11". Se você, como eu, crê que a Bíblia é a Palavra de Deus, pode achar uma nota como essa desconcertante. Se, por outro lado, você é cético a respeito dos Evangelhos como um testemunho confiável sobre Jesus, pode encarar uma nota como essa como prova de que eles não devem ser tomados como a Palavra de Deus dirigida a nós sobre seu Filho. Como podemos fazer alegações grandiosas sobre a Bíblia como a revelação de um Deus perfeito e todo-poderoso se não estamos certos de que algumas partes do texto são originais? Não temos os primeiros manuscritos físicos (conhecido como autógrafos) que Mateus, Marcos, Lucas e João escreveram. Temos, na melhor das hipóteses, cópias de seus originais, e em muitos casos nossos manuscritos mais antigos são provavelmente cópias de cópias.[6] Assim, como sabemos que eles não foram corrompidos no processo — pedaços acrescentados aqui, subtraídos ali, ou modificados para se adequar aos propósitos do copista?

Na semana passada, fiz para minha filha Miranda um exame sobre Shakespeare. Venho ensinando Shakespeare a ela e a uma de suas amigas do ensino fundamental toda terça-feira. Como parte do curso, mandei que elas decorassem quatro sonetos e um solilóquio. Quando fui corrigir seus trabalhos,

---

[6] Para uma discussão muito útil e acessível sobre esse tema, ver William D. Mounce, *Why I Trust the Bible: Answers to Real Questions and Doubts People Have About the Bible* (Grand Rapids, MI: Zondervan, 2021), p. 131-132.

notei um pequeno erro em um dos sonetos no manuscrito de Miranda. Em seguida notei o mesmo erro no trabalho da amiga. Retornei à passagem para verificar se não havia eu mesma me equivocado. Não: foi um erro compartilhado por elas. Acabei descobrindo que Miranda vinha ajudando a amiga a estudar na escola, então o pequeno erro cometido por Miranda havia passado adiante. Se eu houvesse ensinado os mesmos trechos para os filhos de minha melhor amiga em Londres, via Skype, eles também teriam cometido erros. Então, se comparássemos os trabalhos de Londres e de Miranda e a amiga aqui em Cambridge, Massachusetts, veríamos as passagens duvidosas. Se eu tivesse ensinado também os filhos de meus amigos que vivem em San Francisco, Sydney e Malawi, poderíamos reunir todos os trabalhos e usá-los para corrigir um ao outro. Todo manuscrito pode conter erros, mas é extremamente improvável que cinco cópias feitas de forma independente apresentem os mesmos erros. O mesmo é verdade sobre os manuscritos bíblicos em virtude da rápida e confusa disseminação do cristianismo. Como Richard Bauckham explica, "[Jesus] viveu no Oriente Médio, e nos primeiros séculos do cristianismo a fé se espalhou em todas as direções — não só para a Grécia e Roma, França e Espanha, mas também para o Egito, África do Norte e Etiópia, para a Turquia e a Armênia, para o Iraque, Pérsia e Índia".[7] À medida que as boas-novas sobre Jesus se popularizavam, os Evangelhos relatando sua vida foram avidamente copiados e distribuídos. Se tivéssemos apenas uma cópia de cada Evangelho e soubéssemos que era uma cópia de uma cópia de uma

[7] Richard Bauckham, *Jesus: A Very Short Introduction* (Oxford: Oxford University Press, 2011), p. 1.

cópia, não saberíamos quais erros teriam sido introduzidos ao longo do processo. Pelo fato de termos milhares de cópias de todos os Evangelhos ou de partes deles, vindas de uma variedade de lugares diferentes, podemos comparar as cópias feitas em um local com as cópias feitas independentemente em outro e identificar os erros. A grande quantidade de manuscritos de lugares diferentes significa que a vasta maioria dos textos dos Evangelhos que temos em nossas Bíblias hoje não estão em discussão. Mas alguns estão.

Os últimos dois versos do soneto de Shakespeare que minha filha estava aprendendo são: "Enquanto houver quem viva ou possa ver, / Este que te dá vida há de viver".[8] Ela havia escrito "Enquanto houver quem viva *e* possa ver" — uma mudança que não altera muito o significado do verso. A vasta maioria das dúvidas sobre versículos nos Evangelhos são desse tipo: diferenças pequenas, que não alteram de modo substancial o significado do texto. Mas há algumas passagens em que é realmente difícil decidir o que os originais diziam. Quando isso acontece, nossas Bíblias modernas acrescentam uma nota a esse respeito. Uma das passagens mais longas incluída em nossas Bíblias que vem acompanhada de uma nota assim é a história da mulher apanhada em adultério.

As cópias mais antigas do Evangelho de João que possuímos não incluem essa história. Algumas cópias a apresentam em locais diferentes no texto, e às vezes ela aparece no Evangelho de Lucas. Uma explicação é que essa história não

---

[8] William Shakespeare, "Shall I Compare Thee to a Summer's Day?" Poetry Foundation, <https://www.poetryfoundation.org/poems/45087/sonnet-18-shall-i-compare-thee-to-a-summers-day>, acesso em 4 de fevereiro de 2022.

estava no livro original que João escreveu, mas foi transmitida oralmente e depois incluída em João porque ela claramente merecia ser lembrada. Nada em que os cristãos creem acerca de Jesus é confirmado ou desmentido nesse texto. Mas seu retrato de Jesus é totalmente coerente com o quadro que os autores dos Evangelhos pintam.

Mulher pega em adultério

No início da história, Jesus está ensinando no templo. Ele havia provocado grande agitação no dia anterior, e os principais sacerdotes e os fariseus enviaram guardas para prendê-lo. Mas os guardas ficaram impressionados com os ensinamentos de Jesus: "Nunca ouvimos alguém falar como ele!", relataram (Jo 7.46). Isso só deixou os fariseus mais enfurecidos. Um líder judeu chamado Nicodemos, cuja visita noturna a Jesus foi registrada em João 3, tentou defender Jesus sem muito sucesso. Mas, apesar do alto risco, Jesus voltou no início da manhã seguinte, e "logo se reuniu uma multidão, e ele se sentou e a ensinou" (Jo 8.2).

Os mestres da lei e os fariseus estavam procurando um motivo para mandar prender Jesus, então levaram até ele uma mulher que havia sido pega em adultério "e a colocaram diante da multidão". "Mestre, esta mulher foi pega no ato de adultério", disseram eles a Jesus. "A lei de Moisés ordena que ela seja apedrejada. O que o senhor diz?" (Jo 8.4-5).

A tensão da cena é elevada. O mandamento "Não cometa adultério" era o sétimo dos famosos Dez Mandamentos que Deus deu a Moisés após resgatar seu povo da escravidão no Egito (Êx 20.14). Além do mais, a lei do Antigo Testamento afirmava que, se um homem e uma mulher fossem pegos em adultério, deveriam ser ambos executados (Dt 22.22; Lv 20.10). É interessante notar que os líderes religiosos não haviam levado o homem em questão. Pareciam mais ávidos por julgar a mulher. Mas estavam ainda mais ávidos por julgar Jesus. Como João explica: "Procuravam apanhá-lo numa armadilha, ao fazê-lo dizer algo que pudessem usar contra ele" (Jo 8.6). Se Jesus deixasse essa mulher escapar impune, estaria se colocando contra a lei judaica. Mas se afirmasse que ela deveria ser apedrejada, correria o risco de desagradar aos romanos, que se consideravam as autoridades legais no que se referia à execução de seus súditos judeus. Jesus não tinha motivos para evitar a prisão. Sabia que estava destinado à cruz. No entanto, aproveita a oportunidade para ensinar o povo e proteger a mulher.

Antes de dar qualquer resposta aos mestres da lei e aos fariseus, Jesus "apenas se inclinou e começou a escrever com o dedo na terra" (Jo 8.6). Não sabemos exatamente o significado desse gesto. Diversas teorias foram sugeridas. Talvez Jesus estivesse escrevendo o veredito na areia. Talvez estivesse evocando o teste de uma esposa infiel prescrito no Antigo Testamento, quando o pó do chão do tabernáculo (o precursor do templo) era misturado com água para a mulher beber como um meio para Deus condená-la ou absolvê-la (Nm 5.11-29). Talvez estivesse simplesmente lhes mostrando que não sentia medo de nada que os mestres da lei e fariseus lhe pudessem fazer. Mas eles continuam lhe perguntando o que deveriam fazer.

Finalmente, Jesus se levanta e declara: "Aquele de vocês que nunca pecou atire a primeira pedra" (Jo 8.7). Em seguida, volta a escrever no chão. Quando os mestres da lei e os fariseus escutaram essas palavras, "foram saindo, um de cada vez, começando pelos mais velhos, até que só restaram Jesus e a mulher no meio da multidão" (Jo 8.9). Quando Jesus se ergue outra vez, ele diz: "Mulher, onde estão eles? Ninguém a condenou?". Ela respondeu: "Ninguém, Senhor" (Jo 8.10, NVI). Essa é a terceira vez que Jesus se dirige a alguém com o vocativo "mulher" em João. Na primeira vez ele se dirigia à mãe, no casamento em Caná (Jo 2.4). Na segunda vez, à samaritana junto ao poço (Jo 4.21). Não é um termo depreciativo. Em seguida, Jesus diz a essa mulher, pega em adultério, humilhada e temendo pela vida: "Eu também não a condeno. Vá e não peque mais" (Jo 8.11).

Como vemos Jesus pelos olhos dessa mulher? Nós o vemos como aquele que teria o direito de julgá-la, mas que, em vez disso, escolhe deixá-la ir. Nós o vemos como aquele que lhe perdoa os pecados e lhe salva a vida. Nós o vemos como aquele que lhe mostrou que ela não pertencia a uma categoria diferente dos líderes religiosos hipócritas, mas que cada pessoa que estava ali era culpada de pecado sexual — exceto o próprio Jesus.

Alguns acham que essa história atenua o peso do pecado sexual. Não atenua. Jesus levava o adultério extremamente a sério. Mas, em vez de apenas olhar para as ações, ele olhava também para o coração. No célebre Sermão do Monte no Evangelho de Mateus, Jesus declarou:

> Vocês ouviram o que foi dito: "Não cometa adultério". Eu, porém, lhes digo que quem olhar para uma mulher com cobiça já cometeu adultério com ela em seu coração.
>
> Mateus 5.27-28

Jesus não afrouxa a lei no que se refere ao adultério, ele a enrijece. De acordo com Jesus, o pecado sexual é mais grave do que um ataque cardíaco. Ele prossegue:

Se o olho direito o leva a pecar, arranque-o e jogue-o fora. É melhor perder uma parte do corpo que ser todo ele lançado no inferno. E, se a mão direita o leva a pecar, corte-a e jogue-a fora. É melhor perder uma parte do corpo que ser todo ele lançado no inferno.

Mateus 5.29-30

Entretanto, em vez de traçar a linha divisória entre a mulher que foi pega no ato de adultério e os homens que estavam prontos a apedrejá-la, Jesus aplica esse princípio e traça uma linha divisória que coloca tanto a mulher adúltera quanto seus acusadores do lado errado da lei. Só Jesus tem o direito de condená-la, mas, em vez disso, ele a perdoa.

O vídeo da canção "Hello" de Adele narra uma história visual de um relacionamento romântico rompido que parece combinar com a letra da canção. Em entrevistas, porém, Adele declarou que a canção trata, na verdade, de sua superação do sentimento de culpa e de sua reconexão com as pessoas — principalmente com ela própria. No Ocidente no século 21, tendemos a ver a culpa como um sentimento pernicioso a ser descartado, e perdoar a nós mesmos como mais importante do que buscar o perdão dos outros. Mas Jesus não minimiza nossa culpa. Ele a toma de nós. Hoje falamos sobre perdoar a nós mesmos e aprender a amar a nós mesmos. Porém, se esse é o nosso foco, arriscamo-nos a perder o perdão e o amor que Jesus nos oferece. Não é tarde demais para dizermos que sentimos muito. Não precisamos ligar para ele "mil vezes", como na música de Adele. Ele nos acolhe a todos de braços abertos.

– Questões para discussão –

Primeiros passos: Quando criança, você seguia as regras ou era rebelde? Compartilhe um exemplo de quando você era jovem.

1. Como as pessoas nos tempos do Novo Testamento encaravam as prostitutas?
2. Que semelhanças e diferenças você vê entre a história de Maria de Betânia e a mulher pecadora que ungiu Jesus? Como essa comparação fornece um quadro mais completo da identidade de Jesus?
3. Leia 1Pedro 2.22. À luz desse versículo, qual é a ironia em Jesus dizer "Aquele de vocês que nunca pecou atire a primeira pedra" em João 8.7?
4. Que similaridades você percebe na forma como Jesus responde a cada uma das mulheres pecadoras neste capítulo?
5. Quem você vê como um caso moralmente perdido ou fora do alcance do reino de Deus? Como Jesus contradiz essa percepção?
6. Você tende a comparar seus pecados com os pecados de outros? Essa comparação lhe dá uma falsa segurança de que seus pecados não são tão ruins ou levam você ao desespero por causa da gravidade de seus pecados?
7. Como as histórias de perdão neste capítulo influenciam o modo como você reage a seus próprios pecados?
8. De que forma a sua visão de Jesus se tornou mais profunda ao vê-lo pelos olhos dessas mulheres?

Aprofundamento: Leia Lucas 7.36-50.

1. Liste as formas pelas quais a mulher pecadora toca Jesus. Como Jesus quebra as expectativas com sua resposta?

2. Em que aspectos a mulher pecadora é contrastada com Simão, o fariseu? O que essa justaposição revela sobre o que significa amar e servir a Jesus?
3. O que Jesus estava afirmando sobre si mesmo quando declarou à mulher que os pecados dela haviam sido perdoados (ver Mc 2.7)?

6
Vida

O último filme a que meu marido e eu assistimos juntos se chama *Alerta vermelho*. É um filme de ação bobinho e engraçado sobre ladrões de arte tentando roubar três ovos adornados com joias que o general romano Marco Antônio supostamente teria dado a Cleópatra dois mil anos atrás. No início do filme, um dos protagonistas (vivido por Dwayne Johnson, conhecido como "The Rock") alerta um museu de arte em Roma que o ovo em exibição pode ter acabado de ser roubado. O diretor do museu não acredita nele. Quando eles chegam à sala da exposição, há um ovo que parece legítimo. Mas Johnson usa um sensor térmico para mostrar que o ovo não está emitindo a radiação correta. O diretor diz que provavelmente se trata apenas de um erro do sensor. Então Johnson pega uma Coca-Cola de um garotinho e a joga sobre o artefato de metal da antiguidade, supostamente inestimável. O ovo se desintegra.

Sem a ressurreição corporal de Jesus, a fé cristã jaz morta e sepultada como o cadáver de Jesus naquele primeiro sábado. A espantosa alegação ouvida primeiro por sua mãe Maria, de que Jesus é o Rei eterno prometido por Deus, cai por terra. Não há verdade, esperança ou vida no cristianismo se Jesus não ressuscitou. Alguns estudiosos, como Bart Ehrman, defendem que, quando examinamos nos quatro Evangelhos os relatos da morte e ressurreição de Jesus, a alegação da ressurreição se desintegra diante de nossos olhos, como o ovo batizado pela Coca-Cola. No entanto, como veremos neste capítulo, se estudarmos mais atentamente as passagens do evangelho, descobriremos o oposto: não provas de uma fraude, mas sinais de autenticidade. Um desses sinais é que todos os quatro Evangelhos nos convidam a ver a morte e ressurreição de Jesus pelos olhos de mulheres.

Do útero ao túmulo

Certa vez, na hora de ir dormir, quando minha filha Eliza tinha cinco anos, ela passou os braços ao redor de meu pescoço e perguntou: "Mamãe, você vai me abraçar quando eu estiver morrendo?", ao que eu respondi: "Sim, querida". Graças a Deus, é muito mais provável que ela me abrace quando eu estiver morrendo. Ver um filho morrer é uma possibilidade horrível. Se — Deus me livre — ela morresse primeiro, eu gostaria de estar abraçando-a nesse momento. Mas, mesmo que ela morra na velhice, quando eu já tiver ido há tempos, Eliza ainda pode chamar por mim. Recentemente soube que pessoas idosas muitas vezes gritam o nome da mãe quando estão morrendo, voltando ao que sentiam quando crianças em busca de consolo.

Quando estava prestes a morrer, Jesus chamou por sua mãe também. Mas não para que ela pudesse cuidar dele. Em vez disso, ele clamou que cuidassem dela. João escreve:

> Quando Jesus viu sua mãe ali, ao lado do discípulo a quem ele amava, disse-lhe: "Mulher, este é seu filho". E, ao discípulo, disse: "Esta é sua mãe". Daquele momento em diante, o discípulo a recebeu em sua casa.
>
> João 19.26-27

A expressão "o discípulo a quem Jesus amava" é a forma como João se refere a si mesmo. Sabemos que Tiago, o meio-irmão de Jesus, tornou-se líder na igreja dos primeiros tempos. Entretanto, durante a vida de Jesus neste mundo, seus irmãos biológicos não parecem ter entendido sua missão. Talvez seja por isso que Jesus confia a mãe aos cuidados do discípulo amado. Assim como ele cuidou da viúva de Naim, da mesma forma ele cuida de sua própria mãe. Maria foi a primeira a saber quem é Jesus. Ela cuidou dele quando criança. Mas enquanto Maria olha para o filho na cruz — suportando uma agonia inimaginável —, ela descobre o que todos iremos descobrir se erguermos nossos olhos para ele: que Jesus é aquele que verdadeiramente cuida de nós.

Outras mulheres junto à cruz

É difícil para nós entendermos o que a crucificação significava no primeiro século. Em sua obra-prima de 2019, *Domínio: o cristianismo e a criação da mentalidade ocidental*, o historiador britânico Tom Holland tenta nos ajudar a entender. Era "a pior morte imaginável" — uma punição concebida para escravos a fim de aumentar ao máximo sua tortura e humilhação. "Tão intenso era o fedor de carniça de sua desgraça", explica Holland, "que muitos se sentiam conspurcados meramente por assistir a uma crucificação."[1] E, no entanto, todos os quatro Evangelhos do Novo Testamento destacam as mulheres que deliberadamente escolheram assistir à morte de Jesus.

Na lei judaica, eram necessárias duas ou três testemunhas quando alguém era acusado de um crime (Dt 19.15). Esse

[1] Holland, *Dominion*, p. 2.

princípio se disseminou para outras áreas da vida, então Mateus, Marcos e João citam três mulheres em particular que assistiram à crucificação.[2] Marcos relata:

> Algumas mulheres observavam de longe. Entre elas estavam Maria Madalena, Maria, mãe de Tiago, o mais jovem, e de José, e Salomé. Eram seguidoras de Jesus e o haviam servido na Galileia. Também estavam ali muitas mulheres que foram com ele a Jerusalém.
>
> Marcos 15.40-41

Como veremos, Maria Madalena desempenha um papel central em todos os Evangelhos no momento em que eles testificam a ressurreição de Jesus. Mateus, Marcos e João a citam na crucificação também. A segunda testemunha de Marcos é outra Maria, cujos filhos Tiago e José provavelmente eram conhecidos na igreja dos primeiros tempos.[3] Em terceiro lugar, Marcos cita uma mulher chamada Salomé. Salomé era o segundo nome mais comum entre mulheres judias daquele tempo e local.[4] Mas o nome de Salomé não vem acompanhado de nenhuma referência, o que sugere que os primeiros leitores de Marcos teriam ouvido falar dela e que não havia outra Salomé entre os discípulos mais conhecidos de Jesus.

---

[2] Bauckham, *Jesus and the Eyewitnesses*, p. 49.

[3] De modo similar, Bauckham defende que Simão de Cirene, que Marcos cita anteriormente em sua narrativa como aquele que foi obrigado a carregar a cruz de Jesus, é chamado de "pai de Alexandre e Rufo" (Mc 15.21) provavelmente porque seus filhos eram conhecidos na igreja dos primeiros tempos e Marcos está apelando a seu testemunho em referência ao que o pai deles viu. Ver Bauckham, *Jesus and the Eyewitnesses*, p. 52.

[4] Ibid., p. 85.

VIDA

Mateus cita as mesmas duas mulheres primeiro, como Marcos. Porém, em vez de Salomé, sua terceira testemunha ocular é "a mãe dos filhos de Zebedeu" (Mt 27.56). Como vimos no capítulo 3, essa mulher só aparece em Mateus, e sua presença junto à cruz a redime de sua tentativa equivocada de conseguir postos privilegiados para os filhos no reino de Jesus. Lucas — que já no início de seu Evangelho apresentou Maria Madalena, Joana e Susana como estando entre as várias mulheres que seguiam Jesus — nos conta simplesmente que "as mulheres que o seguiram desde a Galileia [...] olhavam de longe" (Lc 23.49). Todas essas mulheres conheciam Jesus de perto. Elas o seguiram durante anos. Quando ele passara por cidades e povoados anunciando o reino de Deus, elas estavam com ele. Elas o haviam visto realizar curas, ensinar o povo e expulsar demônios. Agora, elas o viam pregado à cruz, eviscerado sob o olhar público.

João é o único autor dos Evangelhos que alega haver testemunhado pessoalmente a crucificação de Jesus. Mas, a exemplo de Mateus e Marcos, ele também registra três mulheres testemunhas — todas com o nome Maria: "Perto da cruz estavam a mãe de Jesus, a irmã dela, Maria, esposa de Clopas, e Maria Madalena" (Jo 19.25). Ao contrário das outras duas Marias na lista de João, Maria, esposa de Clopas, não é um nome familiar para nós.[5] No entanto, escritos do início do cristianismo fazem referência a um casal chamado Maria e Clopas (que era um nome incomum) como pais de um homem chamado Simão, um líder importante na igreja dos primeiros tempos. Clopas era irmão do pai adotivo de Jesus,

---

[5] No original grego, a outra mulher que João menciona é chamada simplesmente de "Maria de Clopas", mas "esposa de" provavelmente está subentendido.

José, por isso João chama sua esposa, Maria, de irmã da mãe de Jesus. Portanto essa Maria provavelmente era conhecida dos primeiros leitores de João também.[6]

Como vemos Jesus pelos olhos das várias mulheres que assistiram à sua crucificação — algumas que haviam estado com ele desde a Galileia e o servido, outras que haviam subido com ele a Jerusalém? Nós o vemos como aquele a quem elas amam, despedaçado e mutilado, zombado e desprezado. Vemos a placa sobre a cabeça dele, onde está escrito "Este é Jesus, o Rei dos Judeus" (Mt 27.37). Vemos aquele em quem toda a fé enviada por Deus estava concentrada pregado agora em uma cruz romana. Nós o vemos através das lágrimas delas. Mas, fundamentalmente, nós o vemos.

Na maior parte deste livro, ao observarmos pelos olhos das mulheres, vimos Jesus como um herói. Nós o vimos como alguém que cura, que ensina e como o Rei há muito esperado — como aquele que chama os mortos do túmulo e concede perdão divino aos pecadores. Mas aqui nós o vemos como aquele que sofreu um tormento pavoroso e uma morte excruciante. Nós o vemos como uma vítima do poder de Roma. Nós o vemos nesse momento não como Senhor universal, mas como um aparente fracasso. Para vermos o que Jesus realmente é, é vital que o vejamos na cruz, como Maria Madalena; Maria, esposa de Clopas; Maria, mãe de Tiago e José; Maria, sua própria mãe; Salomé; e a mãe dos filhos de Zebedeu o viram naquele dia.

---

[6] Richard Bauckham propõe que esse Clopas referido por João é a mesma pessoa que Lucas cita como Cleopas, um de dois discípulos que se encontraram com Jesus ressuscitado na estrada para Emaús (Lc 24.18), sendo Cleopas a versão grega do nome hebraico. Ver Bauckham, *Gospel Women*, p. 208-209.

VIDA

Mas o papel das mulheres como testemunhas não se encerra aqui. Precisamos continuar olhando pelos seus olhos.

Testemunhas do sepultamento de Jesus

É fácil ignorar o sepultamento de Jesus como uma colina sem importância entre dois grandes picos. Mas os autores dos Evangelhos dedicam um bom tempo para descrever suas testemunhas. Mais uma vez, diversas mulheres são nomeadas. Isso é especialmente notável, já que todos os quatro Evangelhos também citam uma testemunha muito mais impressionante a essa altura. Marcos nos conta que "José de Arimateia foi corajosamente a Pilatos e pediu o corpo de Jesus. (José era um membro respeitado do conselho dos líderes do povo e esperava a chegada do reino de Deus)" (Mc 15.43). Quanto o corpo lhe foi cedido, "José comprou um lençol de linho, desceu o corpo de Jesus da cruz, envolveu-o no lençol e colocou-o num túmulo escavado na rocha. Então rolou uma grande pedra na entrada do túmulo" (Mc 15.46). João acrescenta uma segunda testemunha masculina nesse ponto: um líder dos fariseus chamado Nicodemos (Jo 19.39), cuja história da visita a Jesus à noite foi narrada anteriormente (Jo 3.1-15). O testemunho desses homens poderosos teria muito mais peso do que o das mulheres seguidoras de Jesus. Apesar disso, Mateus, Marcos e Lucas indicam as mulheres que estão lá quando Jesus é enterrado. É fundamental que as mulheres estejam familiarizadas com o túmulo de Jesus, senão o impacto de elas o terem encontrado vazio naquela primeira manhã da Páscoa se perderia.

Marcos narra que "Maria Madalena e Maria, mãe de José, viram onde o corpo de Jesus tinha sido sepultado" (Mc 15.47). Da mesma forma, Mateus relata que, quando a entrada do túmulo de Jesus foi lacrada com uma pedra, Maria Madalena e a outra Maria (ou seja, Maria, mãe de Tiago e José) estavam lá, sentadas em frente ao túmulo (Mt 27.61). É interessante notar que tanto Mateus quanto Marcos deixam de mencionar a terceira testemunha em suas narrativas da crucificação quando descrevem o sepultamento de Jesus, possivelmente porque Susana e a mãe dos filhos de Zebedeu não estivessem presentes. Mateus também relata que guardas foram colocados diante do túmulo de Jesus para reforçar a segurança (Mt 27.62-66). Novamente, Lucas é mais geral, mas, ainda assim, também se mostra ávido por nos contar que as discípulas de Jesus assistiram ao sepultamento: "As mulheres da Galileia seguiram José e viram o túmulo onde o corpo de Jesus foi colocado" (Lc 23.55).

Como vemos Jesus pelos olhos dessas mulheres durante seu sepultamento? Vemos aquele que deu vida à filha de Jairo, ao filho da viúva de Naim e ao irmão de Maria e Marta jazer agora morto ele próprio. Vemos aquele que podia chamar os mortos de seus túmulos ser colocado em um túmulo. Vemos aquele que ordenou que fosse removida uma pedra sobre o túmulo de Lázaro ter agora uma pedra empurrada para lacrar o próprio túmulo. Vemos aquele que afirmou para Marta ser a ressurreição e a vida agora jazendo morto e frio. Ainda assim, as mulheres permaneceram com ele. A pergunta é: quem voltou ao túmulo de Jesus na manhã daquele domingo, e o que exatamente foi visto?

Testemunhas da ressurreição

Todos os quatro Evangelhos nos relatam que, no início do primeiro dia da semana, as mulheres foram ao túmulo de Jesus, e todos os quatro Evangelhos dizem que Maria Madalena

VIDA

esteve lá. Mas cada Evangelho dá uma lista levemente diferente dos outros nomes. Ehrman sugere que essas listas diferentes seriam uma prova de que os relatos se contradizem. "Quem foi até o túmulo?", ele pergunta:

> Terá sido apenas Maria (Jo 20.1)? Maria e outra Maria (Mt 28.1)? Maria Madalena, Maria, mãe de Tiago, e Salomé (Mc 16.1)? Ou mulheres que haviam acompanhado Jesus da Galileia até Jerusalém — possivelmente Maria Madalena; Joana; Maria, mãe de Tiago, e outras mulheres (Lc 24.1; ver 23.55)?[7]

À primeira vista, essas discrepâncias parecem perturbadoras. Mas, como Bauckham explica, não é o caso:

> As divergências entre as listas têm sido frequentemente vistas como base para não as levarmos a sério como citações de testemunhas oculares dos acontecimentos [da morte, sepultamento e ressurreição de Jesus]. Na verdade, o oposto é verdadeiro: essas divergências, adequadamente entendidas, demonstram o *cuidado* escrupuloso com que os Evangelhos apresentam as mulheres como testemunhas.[8]

Bauckham argumenta que, longe de serem confusos, os autores dos Evangelhos "tiveram o cuidado de citar precisamente como testemunhas as mulheres que eram bem conhecidas deles".[9] Mais ainda: embora Ehrman observe que o

---

[7] Bart Ehrman, *Jesus Interrupted: Revealing The Hidden Contradictions In The Bible (And Why We Don't Know About Them)* (Nova York: Harper-Collins, 2009), p. 47.

[8] Bauckham, *Jesus and the Eyewitnesses*, p. 49.

[9] Ibid., p. 51.

Evangelho de João cita apenas Maria Madalena, ele deixa, em seu resumo, de notar que o Evangelho de João também torna claro que Maria Madalena *não* estava sozinha. Quando vai falar com Pedro e João, ela fala como representante de um grupo: "Tiraram do túmulo o corpo do Senhor, e não sabemos onde o colocaram!" (Jo 20.2). A crítica de Ehrman a respeito das listas diferentes de nomes não se sustenta. Mas e quanto às diferenças entre o relato de cada Evangelho sobre o que as mulheres viram? Será que isso é, como alega Ehrman, prova de que os relatos não são confiáveis? Não penso assim.

O primeiro desafio é posto pelo Evangelho de Marcos. Marcos nos conta que as mulheres se perguntam quem removerá para elas a pesada pedra da entrada do túmulo de Jesus. Quando elas chegam, porém, descobrem que seu problema foi resolvido:

> Mas, quando chegaram, foram verificar e viram que a pedra, que era muito grande, já havia sido removida.
>
> Ao entrarem no túmulo, viram um jovem vestido de branco sentado do lado direito. Ficaram assustadas, mas ele disse: "Não tenham medo. Vocês procuram Jesus de Nazaré, que foi crucificado. Ele não está aqui. Ressuscitou! Vejam, este é o lugar onde haviam colocado seu corpo. Agora vão e digam aos discípulos, incluindo Pedro, que Jesus vai adiante deles à Galileia. Vocês o verão lá, como ele lhes disse".
>
> Trêmulas e desnorteadas, as mulheres fugiram do túmulo e não disseram coisa alguma a ninguém, pois estavam assustadas demais.
>
> Marcos 16.4-8

VIDA

Esse provavelmente é o final original do Evangelho de Marcos. Se você abrir uma Bíblia moderna, encontrará versículos adicionais com uma nota dizendo: "Os manuscritos mais antigos terminam aqui o Evangelho de Marcos. A maioria dos manuscritos, porém, acrescenta os versículos 9-20". Em vez de nos deixar com uma conclusão bem amarrada, o primeiro Evangelho que foi escrito termina com algo mais semelhante a um nó desgastado. Mas não podemos concluir daí que a ressurreição tenha sido uma alegação criada depois. O assustador jovem vestido de branco em Marcos diz sobre Jesus de Nazaré: "Ele não está aqui. Ressuscitou!", e promete às mulheres que elas verão Jesus de novo, exatamente como ele lhes dissera (Mc 16.6-7).

E quanto à reação das mulheres? Diferentemente dos outros autores dos Evangelhos, Marcos narra que as mulheres "não disseram coisa alguma a ninguém, pois estavam assustadas demais" (Mc 16.8). Entretanto, Marcos não pode querer dizer que as mulheres jamais contaram a ninguém, senão essa cena não poderia ter sido incluída em seu Evangelho! Realmente, esse final do Evangelho de Marcos é uma evidência em si de que as mulheres *contaram* a Pedro, como haviam sido orientadas a fazer, e Pedro garantiu que seu testemunho fosse incluído no Evangelho escrito para ele por Marcos. Bauckham defende que, quando Marcos nos conta que as mulheres "não disseram coisa alguma a ninguém", ele não quer dizer que elas não seguiram a instrução do anjo de que contassem aos apóstolos de Jesus, mas que elas não espalharam a notícia para as pessoas em geral. Além disso, Bauckham sugere que Marcos não está retratando as mulheres como covardes, mas como tendo precisamente a reação correta a essa notícia extraordinária.[10]

A realidade da ressurreição de Jesus é apavorante. É absorvida tranquilamente por nós porque já estamos acostumados com a ideia. Mas encontrarem o túmulo de Jesus vazio e serem informadas de que ele ressuscitou dos mortos deve ter feito aquelas mulheres "tremerem na base" — assim como quando Jesus acalmou uma tempestade com suas palavras e seus discípulos ficaram "apavorados" e perguntaram-se: "Quem é este homem? Até o vento e o mar lhe obedecem!" (Mc 4.41). A ressurreição prova que Jesus venceu a morte e que ele é o Rei prometido por Deus, eterno, universal e vitorioso sobre tudo. As mulheres estão certas em ter medo!

E quanto às diferenças nos diversos relatos dos Evangelhos sobre o que as mulheres viram e ouviram? O texto de Lucas é semelhante ao de Marcos. Mas, em vez de um jovem vestido de branco, Lucas relata que as mulheres encontram "dois homens [...] vestidos com mantos resplandecentes", que lhes contam que Jesus ressuscitou, assim como havia prometido (Lc 24.1-7). Será que Lucas está contradizendo Marcos ao dizer que havia dois homens em vez de um? Não. Em seu relato da ressurreição, Marcos dirige nossa atenção para um homem, que fala às mulheres, assim como João dirige nossa atenção para Maria Madalena, apesar de haver claramente outras mulheres no grupo.[11] Fazemos esse tipo de coisa hoje

---

[10] Bauckham, *Gospel Women*, p. 290.

[11] É característico de Marcos fornecer um relato mais condensado. Por exemplo, quando Marcos conta a história de Jesus curando um cego chamado Bartimeu, ele só menciona esse cego (Mc 10.46-52), enquanto Mateus menciona dois (Mt 20.29-34).

VIDA

em dia. Recentemente enviei um *e-mail* a meu pastor, Curtis, para perguntar se minha melhor amiga Rachel e eu poderíamos gravar um *podcast* no prédio da igreja. Curtis conhece bem tanto a mim quanto a Rachel. Ele respondeu: "É claro que podem!". Quando eu o vi depois naquela tarde, ele perguntou sobre o *podcast* e ficou surpreso ao saber que Rachel e eu havíamos sido entrevistadas em pessoa pela apresentadora do *podcast*, que estava na cidade naquele dia. Eu não havia mencionado a apresentadora em meu *e-mail* — apesar do fato de que a presença dela era toda a razão para a gravação —, porque esse detalhe não era relevante para meu pedido. Da mesma forma, os autores dos Evangelhos muitas vezes simplificam uma cena deixando de fora figuras que não são vitais para sua narrativa.

Os autores dos Evangelhos também deixaram de fora muitos acontecimentos aparentemente importantes ao condensar a vida, morte e ressurreição de Jesus em livros que conseguimos ler entre uma hora e meia e duas horas e meia cada um. Por exemplo, Mateus é o único que registra a colocação de guardas no túmulo de Jesus, e ele acrescenta o que acontece logo antes da chegada das mulheres:

> Depois do sábado, no primeiro dia da semana, bem cedo, Maria Madalena e a outra Maria foram visitar o túmulo.
>
> De repente, houve um grande terremoto, pois um anjo do Senhor desceu do céu, rolou a pedra da entrada e sentou-se sobre ela. Seu rosto brilhava como um relâmpago, e suas roupas eram brancas como a neve. Quando os guardas viram o anjo, tremeram de medo e caíram desmaiados, como mortos.
>
> Então o anjo falou com as mulheres. "Não tenham medo", disse ele. "Sei que vocês procuram Jesus, que foi crucificado. Ele

não está aqui! Ressuscitou, como tinha dito que aconteceria. Venham, vejam onde seu corpo estava. Agora vão depressa e contem aos discípulos que ele ressuscitou e que vai adiante de vocês para a Galileia. Lá vocês o verão. Lembrem-se do que eu lhes disse!"

As mulheres saíram apressadas do túmulo e, assustadas mas cheias de alegria, correram para transmitir aos discípulos a mensagem do anjo.

Mateus 28.1-8

Mateus identifica a figura aterrorizante que fala com as mulheres como um anjo do Senhor. Mas isso não significa que ele tenha acrescentado asas ao jovem assustador vestido de branco do relato de Marcos. Na Bíblia, embora os anjos sejam quase sempre assustadores, raramente são descritos como tendo asas, e às vezes são confundidos com seres humanos (ver Gn 18.2—19.22).

Diferentemente de Marcos e Lucas, mas de modo semelhante a João, Mateus também relata um encontro direto entre as mulheres e o próprio Jesus:

No caminho, Jesus as encontrou e as cumprimentou. Elas correram para ele, abraçaram seus pés e o adoraram. Então Jesus lhes disse: "Não tenham medo! Vão e digam a meus irmãos que se dirijam à Galileia. Lá eles me verão".

Mateus 28.9-10

Talvez nos perguntemos como Lucas pôde deixar esse encontro de fora. Mas ele inclui outras aparições de Jesus ressuscitado que Mateus não narra (Lc 24.13-49). Ao lermos os relatos da ressurreição em Mateus, Marcos e Lucas, vemos como os diferentes autores dos Evangelhos tomam decisões diferentes

VIDA

sobre como selecionam, resumem e enfatizam seu material. Se pensarmos sobre isso, nós geralmente fazemos o mesmo.

No início de dezembro, um pacote chegou a nossa casa. Continha um livro de fotografias. Minha filha Eliza me perguntou quem o havia enviado. Respondi:

— Foi a vovó.

Eliza retrucou:

— Não foi a vovó. Veio de alguém que se chama Susan.

— Sim, eu sei. A amiga da vovó, Susan, tirou as fotos no livro. A vovó comprou o livro da Susan e pediu a ela que o enviasse ao papai em nome da vovó.

Levou um tempinho até Eliza conseguir decifrar o que estava acontecendo! Minha afirmação original de que a vovó havia enviado o livro era uma versão simplificada do que acontecera, enfatizando o que considerei que fosse a informação mais relevante. Mas a afirmação de Eliza de que, na verdade, havia sido Susan que enviara o livro de fotografias, e não a própria vovó, também era verdadeira.

Se os autores dos Evangelhos estivessem respondendo à pergunta de Eliza, Marcos teria resumido tudo como eu fiz: "A vovó enviou o livro de fotografias para o papai". Mateus talvez nos tivesse contado mais: "A amiga da vovó, Susan, enviou o livro de fotografias para o papai". Lucas poderia ter desenvolvido ainda mais: "A vovó pagou a sua amiga Susan, que é fotógrafa, para enviar o livro de fotografias para a mamãe, para que a mamãe pudesse embrulhá-lo para dar ao papai de Natal". João provavelmente diria apenas: "Seu pai adora fotografias. A vovó ama o seu pai. Esse presente demonstra esse amor". Como instantâneos tirados de ângulos diferentes de uma obra de arte valiosíssima, cada autor dos Evangelhos nos dá uma perspectiva única, extraída dos relatos das testemunhas

157

O JESUS QUE AS MULHERES VIRAM

oculares a que tiveram acesso. Como João explica perto do final de seu Evangelho, seu objetivo não foi ser completo, mas persuasivo: "Os discípulos viram Jesus fazer muitos outros sinais além dos que se encontram registrados neste livro. Estes, porém, estão registrados para que vocês creiam que Jesus é o Cristo, o Filho de Deus, e para que, crendo nele, tenham vida pelo poder do seu nome" (Jo 20.30-31). Vamos ver então qual foi o relato feito por João da ressurreição?

"Vi o Senhor!"

Como acontece com tanta frequência nos Evangelhos, João segue um rumo diferente de Mateus, Marcos e Lucas. Para começar, ele dirige nossa atenção apenas para Maria Madalena:

> No primeiro dia da semana, bem cedo, enquanto ainda estava escuro, Maria Madalena foi ao túmulo e viu que a pedra da entrada tinha sido removida. Correu e encontrou Simão Pedro e o outro discípulo, aquele a quem Jesus amava, e disse: "Tiraram do túmulo o corpo do Senhor, e não sabemos onde o colocaram!".
>
> Pedro e o outro discípulo foram ao túmulo. Os dois corriam, mas o outro discípulo foi mais rápido que Pedro e chegou primeiro ao túmulo. Abaixou-se, olhou para dentro e viu ali as faixas de linho, mas não entrou. Então Simão Pedro chegou e entrou. Também viu ali as faixas de linho e notou que o pano que cobria a cabeça de Jesus estava dobrado e colocado à parte. O discípulo que havia chegado primeiro ao túmulo também entrou, viu e creu. Pois até então não haviam compreendido as Escrituras segundo as quais era necessário que Jesus ressuscitasse dos mortos. Os discípulos voltaram para casa.
>
> João 20.1-10

VIDA

A princípio, poderíamos pensar que João está descartando o papel que as mulheres desempenharam e chamando atenção para Pedro e ele próprio. Lucas também havia mencionado a visita de Pedro ao túmulo, depois de escutar o relato das mulheres (Lc 24.12). Então, enfatizar o papel de Pedro não foi algo sem precedentes. Mas, quando continuamos a ler João, descobrimos que ele dá ainda mais ênfase a Maria Madalena do que fazem os outros Evangelhos.

Primeiro, vemos o encontro de Maria com os anjos: "Maria estava do lado de fora do túmulo. Chorando, abaixou-se, olhou para dentro e viu dois anjos vestidos de branco, sentados à cabeceira e aos pés do lugar onde tinha estado o corpo de Jesus" (Jo 20.11-12). Porém, em vez de relatar a mensagem que os anjos deram às mulheres, João registra uma pergunta que eles fazem a Maria: "'Mulher, por que você está chorando?'. Ela respondeu: 'Porque levaram o meu Senhor, e não sei onde o colocaram'" (Jo 20.13). Maria está em luto e perplexa. Não apenas seu Senhor foi crucificado como seu corpo também parece ter sido roubado, então ela não pode velar o corpo como havia esperado fazer.

Como vemos Jesus pelos olhos de Maria Madalena nesse momento? Nós não o vemos. Mas em seguida ela se vira.

> Então, ao virar-se para sair, viu alguém em pé. Era Jesus, mas ela não o reconheceu. "Mulher, por que está chorando?", perguntou ele. "A quem você procura?"
>
> Pensando que fosse o jardineiro, ela disse: "Se o senhor o levou embora, diga-me onde o colocou, e eu irei buscá-lo".
>
> "Maria!", disse Jesus.

Ela se voltou para ele e exclamou: "Rabôni!" (que, em aramaico, quer dizer "Mestre!").

João 20.14-16

Ao som de seu nome tão comum, os olhos cheios de lágrimas de Maria se abrem, e ela vê o Senhor ressuscitado por quem ele é. Maria reage pronunciando uma das poucas palavras aramaicas no Evangelho de João: "Rabôni!" — uma forma variante de rabi. Ela saúda o Jesus ressuscitado com a palavra que se refere a seu discipulado. Realmente, essa mulher que chora é a discípula a quem o Jesus ressuscitado primeiro se revela.

Mateus registra que Maria Madalena e a outra Maria abraçaram os pés de Jesus e o adoraram (Mt 28.9). Assim, provavelmente deveríamos imaginar Maria Madalena agarrada a seus pés quando Jesus a envia em uma missão:

Jesus lhe disse: "Não se agarre a mim, pois ainda não subi ao Pai. Mas vá procurar meus irmãos e diga-lhes: 'Eu vou subir para meu Pai e Pai de vocês, para meu Deus e Deus de vocês'".

Maria Madalena encontrou os discípulos e lhes disse: "Vi o Senhor!". Então contou o que Jesus havia falado.

João 20.17-18

Em uma cultura em que as mulheres eram frequentemente silenciadas, Jesus encarrega uma discípula de anunciar sua ressurreição aos discípulos homens. Espantosamente, Maria Madalena é a primeira pessoa no Evangelho de João a chamar Jesus de "o Senhor".[12] A expressão foi usada três vezes

---

[12] Jesus é chamado de "Senhor" por diversas outras pessoas no Evangelho de João antes desse ponto (por exemplo, Jo 6.68; 8.11; 9.38;

VIDA

para se referir ao Deus da aliança de Israel (Jo 1.23; 12.13,38) e duas vezes pelo autor de João em referência a Jesus (Jo 6.23; 11.2). Mas agora, nesse momento de revelação, Maria conta aos outros discípulos: "Vi o Senhor!".

Mulheres como testemunhas oculares

"Vou acreditar quando vir" é uma das frases favoritas de meu marido. Ele é um legítimo seguidor de Jesus, mas, em outros aspectos, é um cético natural. Como Bryan, os historiadores no tempo de Jesus davam grande valor à visão: "Acreditarei se você viu" seria um lema adequado para a sua corporação. Sem dúvida tendo isso em mente, os autores dos Evangelhos apresentam as mulheres repetidas vezes nos capítulos finais como sujeitos de verbos de visão. Como observa Bauckham:

> [As mulheres] "viram" os acontecimentos quando Jesus morreu (Mt 27.55; Mc 15.40; Lc 23.49), elas "viram" onde ele foi sepultado (Mc 15.47; Lc 23.55), elas foram "ver" o túmulo no primeiro dia da semana (Mt 28.1), elas "viram" a pedra ser removida (Mc 16.4), elas "viram" o jovem de branco sentado do lado direito (Mc 16.5), e o anjo as convidou para "ver" o local vazio onde havia estado o corpo de Jesus (Mt 28.6; Mc 16.6).

"Dificilmente poderia ser mais claro", conclui Bauckham, "que os Evangelhos estão apelando para o papel delas como testemunhas oculares."[13] À luz desse fato, o anúncio de Maria Madalena, "Vi o Senhor!", é duplamente significativo. Como

11.3,12,21,27,32,39; 13.6,9,25,36,37; 14.5,8), mas ninguém se refere a ele como "o Senhor".

[13] Bauckham, *Jesus and the Eyewitnesses*, p. 48.

uma jornalista atual com vídeos para dar sustentação à sua reportagem, ela está se colocando como testemunha ocular da ressurreição de Jesus, não apenas diante dos apóstolos, mas também do leitor.

O fato de que todos os quatro Evangelhos apresentam as mulheres como centrais para a alegação da ressurreição agrada a nós, leitoras do século 21. Mas teria exercido o efeito oposto entre homens cultos no mundo greco-romano. Como Bauckham explica, "as mulheres eram consideradas pelos homens educados como crédulas em questões religiosas e especialmente tendentes a fantasias supersticiosas e a práticas religiosas excessivas".[14] Celso, filósofo grego do século 2, estava expressando o que muitos de seus contemporâneos teriam pensado quando atacou Maria Madalena:

> Após a morte [Jesus] ressuscitou e mostrou as marcas de sua punição e como suas mãos haviam sido perfuradas. Mas quem viu isso? Uma mulher histérica, como se diz, e talvez alguma outra daquelas que eram iludidas pela mesma feitiçaria.[15]

Da perspectiva de Celso, Maria Madalena e as outras mulheres em lágrimas que testemunharam a suposta ressurreição de Jesus eram uma piada. Se os autores dos Evangelhos estivessem inventando suas histórias, poderiam ter feito de José de Arimateia e Nicodemos as primeiras testemunhas da ressurreição: dois homens de respeito envolvidos no sepultamento de Jesus. A única razão possível para a ênfase no

---

[14] Bauckham, *Gospel Women*, 270.
[15] Orígenes, *Contra Celsum*, 2.55, citado em Bauckham, *Gospel Women*, p. 271.

testemunho de mulheres — mulheres em lágrimas, ainda por cima — é que elas realmente foram as testemunhas.

No início, até os apóstolos de Jesus estavam céticos. Lucas nos conta: "Maria Madalena, Joana, Maria, mãe de Tiago, e as outras mulheres que as acompanhavam relataram tudo aos apóstolos. Para eles, porém, a história pareceu absurda, e não acreditaram nela" (Lc 24.10-11). Essas mulheres haviam viajado com Jesus durante todo o ministério dele. Os discípulos homens deveriam confiar nelas! Mas, como sempre, os autores dos Evangelhos conservam fielmente as falhas mais mortificantes dos apóstolos: desde a negação de Pedro de que sequer conhecesse Jesus até a recusa de Tomé em crer que Jesus havia ressuscitado a não ser que o visse com seus próprios olhos (Jo 20.24-29). Novamente, se os autores dos Evangelhos tivessem se sentido livres para inventar, com certeza não sonhariam em elaborar esse retrato embaraçoso de alguns dos principais líderes da igreja dos primeiros tempos. Mas os apóstolos parecem ter adotado esses registros humildes de seus grandes erros, pelo fato de lançarem luz sobre o grande triunfo de seu Salvador.

Como no filme *Alerta vermelho*, a história dos Evangelhos depende de uma alegação sobre algo que aconteceu dois mil anos atrás. A premissa de *Alerta vermelho* é uma fraude. Até onde sabemos, Marco Antônio não deu a Cleópatra três ovos adornados. O filme é uma ficção divertida desde o início até seu final, que aponta para um próximo filme em sequência. Mas os relatos dos Evangelhos sobre a morte, sepultamento e ressurreição de Jesus são o oposto da fraude. Na verdade, eles não se encaixam no enredo do que os autores do primeiro século teriam inventado por diversas razões. Eles nos oferecem um Messias crucificado, cuja ressurreição foi vista primeiro por mulheres chorando, e quanto mais entendemos como as biografias eram escritas naquela época e local, mais claro se torna que os autores dos Evangelhos estão nos apresentando um testemunho transformador, autêntico, inesperado de testemunhas oculares. Podemos escolher não crer nele. Mas, ao contrário do ovo falso na cena do museu, a alegação das mulheres de que viram Jesus crucificado, sepultado e ressuscitado no terceiro dia não se desintegra quando testada. E, se for verdadeira, é muito mais valiosa do que qualquer artefato antigo. É a própria fonte da vida.

– Questões para discussão –

Primeiros passos: Há algo que você tenha testemunhado em que você mesmo não acreditaria se não tivesse visto pessoalmente?

1. Como Jesus cuida de sua mãe enquanto está morrendo na cruz?
2. Quem eram as mulheres que testemunharam a crucificação de Jesus? O que sabemos sobre elas?
3. O que você aprendeu nos capítulos anteriores sobre Maria Madalena? Como esse conhecimento enriquece seu entendimento sobre a interação dela com o Cristo ressuscitado?
4. Por que é incomum que as testemunhas oculares da ressurreição de Jesus sejam mulheres? O que a sua inclusão revela sobre a atitude de Jesus em relação a elas?
5. Leia João 10.27-28. À luz desses versículos, como a interação de Maria Madalena com o Cristo ressuscitado pode ser vista como uma imagem de nossa salvação?

VIDA

6. Que situação em sua vida parece sem esperanças? Como ver a morte, sepultamento e ressurreição de Cristo pelos olhos dessas mulheres lhe dá esperança em meio à desolação?

7. Quando Maria Madalena viu o Cristo ressuscitado, ela o reconheceu como "o Senhor". Quando você vê o Cristo ressuscitado pelos olhos dela, quem você diria que ele é? Você já reconheceu Jesus como o Senhor?

8. De que forma a sua visão de Jesus se tornou mais profunda ao vê-lo pelos olhos dessas mulheres?

Aprofundamento: Leia João 20.1-18.

1. Quantas vezes essa passagem se refere a Maria chorando? Como a passagem enfatiza sua dor transformando-se em alegria? Em que aspecto essa transição é uma imagem da vida cristã?

2. Após ver o Cristo ressuscitado, Maria declara: "Vi o Senhor!". Como os versículos 9 e 16 elucidam nosso entendimento sobre a capacidade de se ver Jesus corretamente?

3. Como Jesus afirma as mulheres como suas discípulas e testemunhas oculares confiáveis no versículo 17?

CONCLUSÃO
Os Evangelhos das Marias

No assim chamado Evangelho de Maria com que este livro se iniciou, Pedro pede a Maria que compartilhe sua revelação do Senhor. Maria concorda. Grande parte do texto nessa passagem se perdeu, mas o que resta transmite um diálogo esotérico sobre a alma. Quando Maria termina, André responde: "Diga o que quiser sobre tudo o que ela falou, mas eu não creio que o Salvador tenha dito essas coisas, pois, na verdade, esses ensinamentos são ideias estranhas". Dá para entender a opinião dele. Jesus, na revelação de Maria, não soa quase nada como o Jesus dos Evangelhos. Pedro, em contraste, baseia sua objeção no gênero de Maria: "Será que ele, então, fala com uma mulher em particular sem que fiquemos sabendo disso? Vamos mudar de rumo e escutá-la? Será que ele a escolheu em vez de a nós?".[1] Nessa descrição de Pedro, vemos todas as possibilidades de preconceito contra uma mulher. Mas, como vimos ao longo deste livro, não precisamos do Evangelho de Maria para ir contra esse preconceito. A misoginia desse Pedro ficcional se enfraquece à luz dos Evangelhos de Mateus, Marcos, Lucas e João.

[1] Citado a partir da tradução de Karen L. King em King, *Gospel of Mary Magdala*, p. 15-17.

O Pedro do Evangelho de Maria objeta que Jesus não teria falado com uma mulher em particular sem que os apóstolos homens o soubessem. Porém, como vimos no capítulo 3, Jesus teve sua conversa privada mais longa com a samaritana enquanto os discípulos estavam longe. Em resposta ao testemunho de Maria, o Pedro do Evangelho de Maria reclama: "Vamos mudar de rumo e escutá-la?". Porém, como vimos no capítulo 6, todos os quatro Evangelhos do Novo Testamento mostram Maria Madalena sendo encarregada de contar aos apóstolos que Jesus ressuscitara. O Pedro do Evangelho de Maria se queixa: "Será que ele a escolheu em vez de a nós?". Mas tanto Mateus quanto João nos mostram o encontro do Jesus ressuscitado com Maria Madalena. No Evangelho de João, em particular, fica claro que Jesus poderia ter-se encontrado primeiro com Pedro, quando Pedro chegou correndo ao túmulo vazio. Em vez disso, Jesus escolheu se encontrar com Maria Madalena, e que ela e as outras mulheres transmitissem a notícia de sua ressurreição a Pedro e ao restante dos apóstolos. Em vez de a revelação dela ser um diálogo místico sobre a alma, contudo, Maria Madalena relatou um encontro concreto, em carne e osso, com seu Senhor ressuscitado.

Olhar para Jesus pelos olhos de mulheres pode parecer, a princípio, um projeto de natureza moderna. No entanto, quando se trata da morte e ressurreição de Jesus, isso é precisamente o que os autores dos Evangelhos nos convidam a fazer. O que vemos pelos seus olhos não é um Jesus alternativo, mas, ao contrário, o Jesus autêntico, que acolhia homens e mulheres como discípulos e que é visto melhor de baixo para cima. As mulheres que levaram seu pecado, vergonha e necessidade extrema e se jogaram aos pés de Jesus, revelam como Jesus tratava aqueles que eram desprezados pelos

CONCLUSÃO

outros. As mulheres que se sentavam aos pés de Jesus para aprender dele nos ajudam a reconhecer nosso Mestre, que traz palavras de vida eterna. As mulheres que abraçaram os pés de Jesus quando o viram ressuscitado pela primeira vez nos ajudam a ver que Jesus é o Senhor do céu e da terra ainda hoje.

O testemunho das mulheres não foi só anexado ao final dos Evangelhos. Está também entremeado neles. Comentei na introdução que, se percorrêssemos Mateus, Marcos, Lucas e João e cortássemos todas as cenas que *não* foram testemunhadas por mulheres, perderíamos apenas uma pequena proporção do texto. Mas, mesmo que limitássemos nosso âmbito ainda mais e só conservássemos as partes da vida de Jesus que foram testemunhadas por mulheres chamadas Maria, perderíamos muito pouco! Na verdade, poderíamos chamar, de maneira legítima, os quatro relatos da vida de Jesus na Bíblia de os Evangelhos das Marias, pois eles preservaram para nós o testemunho de pelo menos cinco Marias — a mãe de Jesus; Maria Madalena; Maria de Betânia; Maria, esposa de Clopas; e Maria, mãe de Tiago e José — cujo conhecimento de Jesus abarcou desde sua concepção até sua ressurreição.

Os Evangelhos em nossas Bíblias são os Evangelhos das mulheres a quem Jesus amava. Cada um deles contém marcas femininas. Mateus e Lucas são os Evangelhos de Maria, mãe de Jesus, que primeiro descobriu que Jesus é o Filho de Deus e que ele seria o Rei eterno. Mateus é o Evangelho da mãe dos filhos de Zebedeu, que seguiu Jesus até sua crucificação, onde ela o viu provar sua alegação de que daria a vida em resgate de muitos. Mateus e Marcos são os Evangelhos de Maria, mãe de Tiago e José, que testemunhou a morte, sepultamento e ressurreição de Jesus, e da mulher gentia cuja fé humilde levou sua filha a ser curada. Marcos é o Evangelho de Salomé, que esteve com Jesus desde os primeiros dias na Galileia e testemunhou sua crucificação e ressurreição. Mateus, Marcos e Lucas são os Evangelhos da sogra de Pedro, que serviu assim que foi curada; da mulher que tivera hemorragia durante doze longos anos, mas dissera a si mesma: "Se eu apenas tocar em seu manto, serei curada"; e da menina de doze anos que Jesus ressuscitou tão facilmente como se a houvesse despertado do sono.

Dei a meu filho o nome de Lucas porque o Evangelho de Lucas contém muitas marcas femininas especiais. Não só é o Evangelho que nos dá o testemunho de Maria sobre a concepção de Jesus e sua incrível canção em louvor a Deus, mas é também o Evangelho de Isabel, que reconheceu o Jesus embriônico como seu Senhor, e de Ana, que profetizou que o bebê Jesus havia vindo para redimir Israel. É o Evangelho de Marta de Betânia, que acolheu Jesus em seu lar, e de Maria de Betânia, que se sentou aos pés de Jesus e aprendeu com ele. É o Evangelho de Joana, esposa de Cuza, que abandonou a corte de Herodes para seguir Jesus durante todo o percurso até o túmulo vazio, e de Susana, cuja história se perdeu para nós, mas que era suficientemente conhecida dos primeiros leitores de Lucas a ponto de não necessitar de qualquer outra apresentação. Mais ainda: Lucas é o Evangelho de muitas mulheres não nomeadas a quem Jesus ajudou e exaltou — como a pecadora da cidade, a viúva de Naim e a mulher enferma na sinagoga.

João é o Evangelho de diversas mulheres cujas histórias não teríamos conhecido por qualquer outra fonte — como a samaritana junto ao poço, que bebeu da água viva e anunciou para sua cidade natal que Jesus é o Cristo, e Maria, esposa de Clopas, que viu seu sobrinho pregado à cruz. Mas é também

CONCLUSÃO

o Evangelho que desenvolve mais as histórias de algumas mulheres que conhecemos em outros Evangelhos. Em João, Marta de Betânia descobre que Jesus é a ressurreição e a vida, e Maria de Betânia é nomeada como a mulher que despejou perfume nos pés dele. E, comoventemente, em João, Maria, mãe de Jesus, não apenas testemunhou seu filho transformar água em vinho, mas também assistiu enquanto sua vida se esvaía na cruz. Ainda mais: em João vemos que, a partir da cruz, Jesus forjou um elo especial entre o autor desse Evangelho e sua mãe. Finalmente, em João vemos Maria Madalena, de quem Lucas nos conta que Jesus expulsou sete demônios — e sobre cuja presença junto à cruz e ao túmulo vazio todos os quatro Evangelhos testificaram —, tornar-se a pessoa com quem Jesus fala suas primeiras palavras após a ressurreição.

Como vemos Jesus pelos olhos dessas mulheres? Nós o vemos como aquele que cura nossos ferimentos e atende às nossas necessidades. Nós o vemos como aquele que toma nossos pecados sobre si e nos acolhe com um amor inimaginável. Nós o vemos como aquele que *nos* vê, mesmo quando todos os outros nos dão as costas, e como aquele que nos acolhe como aprendizes e quando despejamos nosso escasso amor a seus pés. Nós o vemos como aquele que é o Salvador do mundo e, ainda assim, conhece cada um de nós pelo nome — mesmo que nosso nome seja o mais comum na cidade. Nós o vemos como aquele que emenda nosso coração partido e toma nosso corpo em seus braços, e como o único que possui o poder de nos tornar inteiros. Nós o vemos como aquele que enfrentou o horror do julgamento de Deus na cruz, para que pudesse virar o rosto para nós e nos chamar à vida eterna.

Maria de Nazaré foi a primeira a saber de Jesus, antes que ele nascesse de seu útero. Maria de Madalena foi a primeira a vê-lo depois que ele renasceu do túmulo. Há quem alegue que o documento do primeiro século hoje conhecido como o Evangelho de Maria registre seu testemunho mais autêntico. Na realidade, a mensagem mais autêntica de Maria chegou a nós pelo documento do primeiro século conhecido como o Evangelho de João, e é esta: "Vi o Senhor!" (Jo 20.18).

Vamos olhar para Jesus pelos olhos dela hoje. Nenhuma visão é mais bela.

– Questões para discussão –

1. De que forma a sua visão dos Evangelhos do Novo Testamento evoluiu com a leitura este livro?
2. Que cinco palavras você usaria para descrever Jesus à luz do que leu?
3. O que você aprendeu sobre si mesmo em resultado de ver Jesus pelos olhos das mulheres?
4. Como você deveria prosseguir de modo diferente à luz desse novo entendimento?
5. Como ter um vislumbre de Jesus por meio dessas testemunhas oculares incentiva você à adoração?

Agradecimentos

Não tenho um *ghostwriter*, um "escritor fantasma". Mas tenho vários "leitores fantasmas", e esta é a minha oportunidade de tirá-los das sombras e dizer "muito obrigada".

Logo antes do Natal de 2021, enviei um primeiro esboço a duas amigas bem diferentes — Christine Caine e Rachel Gilson. Como sempre que escrevo um livro e ninguém mais ainda o viu, achei que provavelmente estava terrível. Christine o leu entre 23 e 25 de dezembro e me enviou comentários inestimáveis, bem detalhados, por meio de mensagens de texto. Rachel nem me contou que estava lendo até ter terminado e me enviar todos os seus comentários de imediato, com o bilhete inimitável: "Não lhe contei que estava lendo porque não queria que você ficasse me importunando!". Fico muito grata pelos seus dois pares de olhos. Elas olharam de ângulos levemente diferentes e tornaram este livro absolutamente imperfeito muito melhor do que teria sido sem suas contribuições.

Meu segundo par de "leitoras fantasmas" foi Julia Rosenbloom e Paige Brooks. Julia me forneceu sugestões úteis de sua perspectiva judaica, e Paige me ajudou a ver como o livro seria recebido por uma cristã em fase de desenvolvimento, relativamente nova na leitura da Bíblia. Essas duas amigas o devoraram em tempo recorde, porque sabiam que eu precisava de comentários logo. Sou muitíssimo grata por seu tempo e ajuda.

Meu terceiro par de leitores era muito mais especialista do que eu. Tanto Nathan Riddlehoover quanto Christopher Cowan possuem PhDs em Novo Testamento, e me enviaram muitas correções importantes. Quaisquer erros remanescentes são meus próprios, mas teria havido muito mais sem suas contribuições!

Ivan Mesa, Joanna Kimbrel e Cassie Watson foram os revisores formais deste livro. Seu trabalho cuidadoso detectou diversos erros e levou a múltiplos aperfeiçoamentos. Sou grata a eles e a Joanna, em particular, por redigir as questões para discussão que acompanham a obra.

Agradeço a Julius Kim e Collin Hansen de The Gospel Coalition por, mais uma vez, me deixarem escrever um livro em velocidade alucinante; e a meu marido, Bryan, e meus filhos, Miranda, Eliza e Lucas, por seu amor e apoio irrestritos.

Ao menos para mim, é preciso uma verdadeira comunidade de amor para escrever um livro. Sou grata por minha comunidade.